OHSAMA BUNKO

使えば使うほど好かれる言葉

川上徹也

三笠書房

はじめに　人の評判は「使う言葉」しだい

想像してみてください。

もし、**「使えば使うほどまわりから好かれる言葉」**があったとしたら。

あなたは、どんどん使いたくなると思いませんか？

「嫌われる勇気」も大切ですが、どうせだったら、多くの人から好かれたい。

本音を言えば、あなたもそう思ってはいませんか？

それが特定の言葉を使うだけでかなえられるなら、うれしいですよね。

そう。日本語には、その単語や成句を使うだけで、まわりから好かれる言葉があります。

たとえば、いつもお世話になっている人に「いつもありがとう」と言ってみるのはどうでしょう？　相手に対しての感謝の気持ちを持ち続けていることが伝わり、聞いたほうも「この人は、ずっと自分のことを見てくれているんだ」という満足感に包まれることでしょう。

この本はそんな「使えば使うほど好かれる日本語」を集め、その言葉の「意味」「使い方」「語源」「うんちく」などを紹介していく本です。

実際のコミュニケーションで使える実用書としてはもちろん、日本語としての成り立ちなどにも、興味がわいてくる内容を目指しました（「語源」に関してはいろいろな説があるので、本書で取り上げるのはその一例です）。

だからといって、特別にむずかしい言葉をセレクトしているわけではありません。ふだんから、誰もが使うありきたりな言葉ばかりです。

知っている言葉ばかりが並んでいても、「当たり前のことしか書かれていない」というわけではありません。

「ありきたりな言葉かもしれないけれど、私はここに出ている言葉を、最近はあまり使っていなかった。これからは意識して使っていこう」

そんな〝気づき〟があったら最高です。

だってそういう人が好かれると思いませんか？

一章

〝いつもの言葉〟に特別感を！

二章

飾らない〝ほめ言葉〟が心に響く

三章

〝言いにくいこと〟でもやわらかく言えるからいい

四章

〝ひと言〟加えるだけで思いやりがより伝わる

付章

話し言葉でこそ「ことわざ・故事成語」が役に立つ

一章

〝いつもの言葉〟に特別感を！

ありがとう

――言った側も言われた側も気持ちがほっこり

あまりにありきたりな言葉ですね。

ちょっと肩すかしをくらった感じでしょうか?

たった5文字のこの言葉。

ありきたりですが、使えば使うほど、まわりから好かれる最強の言葉がこの「ありがとう」なのです。それはなぜでしょう?


自分が「ありがとう」と言ってもらったときを想像してください。

なんだか、やさしく穏《おだ》やかな気分になりませんか?

それは、**自分が取った行為が相手の役に立ったことを確認できるから**です。

要は、相手から認められた気分になるということ。

人間には「承認欲求」というものがあります。

自分以外の誰かから、自分を認めてもらいたいと感じる欲求です。

人類がなぜこのような欲求を持っているかは、諸説あります。

有力なのは、集団生活をするようになった人類の祖先が、進化の過程で身につけたというもの。集団のほかのメンバーから認められるということは、自身の生存確率を上げることにつながるからです。

「ありがとう」という言葉を聞くと、相手から認められたという承認欲求が満たされます。言った側も、相手が喜んでくれると、承認欲求が満たされます。

だから、うれしい。

結果として、どちらもやさしく穏やかな気分になります。

相手も自分もハッピーにできるすごい言葉なのです。


さて、この「ありがとう」の語源をご存じでしょうか？

もともとは仏教用語の「有り難し」から生まれたと言われています。

『法句経《ほっくぎょう》』という経典に、釈迦《しゃか》の言葉として次のようなフレーズがあります。

「人の生《しょう》をうくるは難《かた》くやがて死すべきものの、いま生命《いのち》あるは有難し」

「有り難し」は、「滅多《めった》にない貴重なこと」という意味です。

人として生まれることが、どれだけ有り難く奇跡的なことかを伝えています。

そして、この「有り難し」の連用形「有り難く」が変化して、感謝の意を表わす言葉として、「ありがとう」が使われるようになったといいます。


あなたは、一日にどれくらい「ありがとう」という言葉を使っていますか？


家族や職場の同僚にもきちんと使っていますか？

「言わなくてもわかるだろう」と思っていませんか？

やはり言葉にしないと、感謝の気持ちは伝わりません。

「ありがとう」を言える場面は、ほかにもいっぱいあります。

コンビニやスーパーでお金を受け渡しするとき。

レストランやカフェで食事やお茶などを給仕してもらうとき。

書店で本にカバーをつけてもらったとき。

列などで順番を譲ってもらったとき。

駆けこんだエレベーターで「開」のボタンを押してもらっていたとき。

バスやタクシーを降りるとき、運転手さんに。

映画やイベントなどでチケットを受け渡しするとき。

高速道路で料金を受け渡しするとき（ETCではできませんね）。

オフィスやホテルなどで清掃の方と出くわしたとき。


「ありがとう」は、口にするだけで相手を気持ちよくさせる言葉です。

買い物をする場面やレストランで食事する場面などで、店員さんに向かってぞんざいな態度を取り、横柄な言葉で接する人がいます。ふだんはどんなに丁寧《ていねい》で感じがいい人でも、それだけで本性を見たようでがっかりしてしまいますよね。

どんな人に対しても、「ありがとう」という言葉が自然に出てくるようになると、自然にまわりから好かれるようになるでしょう。

ありがとうございました

――「ございました」をつける？　つけない？

「ありがとう」という言葉はすばらしいのですが、目上の人にはそのままでは使いにくいという欠点があります。

英語は、どんな偉い人に対しても「サンキュー」ですみます。

しかし日本語では、相手によって「ありがとうございます」「ありがとうございました」という丁寧語にしなければならない場面が多いですよね。

さて、この二つのフレーズ、区別して使っていますか？

「ありがとうございました」は過去形。

一般的に、過去に起きた出来事に対して、感謝を伝える言葉です。

「ありがとうございます」は現在形。

今起こっている出来事に対してはもちろん、出来事や関係性が継続しているときに使用します。

たとえば、お店などの接客においては、次のように使い分けるのが一般的です。

・お客さんが来店したとき――「本日はご来店ありがとうございます」
・お客さんが店を出て行くとき――「本日はご来店ありがとうございました」

ただし、**「ありがとうございました」という過去形を使うと、関係が終わってしまうからと、過去の出来事でも「ありがとうございます」しか使わない**方もいます。

もちろん決まったルールはなく、どちらを使っても「ありがとう」の丁寧語なので大丈夫です。

そして、距離がある程度縮まったら、丁寧語ではなく、目上の人にも勇気を出して「ありがとう」と言ってみてはどうでしょう?

高度な技ですが、相手によってはより距離が縮まり、好かれるかもしれません。

○○さん

――たとえ面と向かっていても、話し始めは名前から

○○には、話す相手の名前が入ります。
姓でも名でも、ニックネームでもかまいません。

なぜ、相手の名前が、好かれる言葉なのでしょう?


人はみんな、自分の名前に親しみがあります。

小学校のテストから始まって、おそらく一番多く書いてきた文字が自分の名前でしょう。自分だけのものですから、特別な思い入れがあります。

相手から名前で呼ばれたときは、自分が認められたような感情を抱きます。

そう、承認欲求が満たされるのです。

この効果は世界共通ですが、日本では、とくに大きいと思われます。

というのは、欧米諸国では名前で呼び合うのが一般的ですが、日本では、名前

を呼ばず、役職や職業ですませることも多いからです。

職場では「社長」「部長」と、役職だけで相手を呼ぶこともよくあります。

タクシーでは、客は「運転手さん」と呼びかけるのが一般的でしょう。

小学校時代の校長先生や教頭先生の名前って覚えていますか？

日本では名前を覚えなくても、何とかやっていけるのです。

でもだからこそ、相手の名前を口に出すと、相手から好かれます。

たとえば、会議では次のように使うとどうでしょう。

「○○さん、どう思われますか？」

「○○さんがおっしゃっていたように」

「私は○○さんの意見に賛成です」

反対意見を言うときでも「○○さんのおっしゃっていることには一理あると思うのですが、私は××だと考えます」のように、名前を出すことでやわらぎます。

かつて総理大臣をつとめた田中角栄は、最終学歴が高等小学校卒にもかかわらず、日本の最高権力者にまでのぼりつめたことで有名です。

そんな角栄には、人の名前にまつわるいくつかのエピソードがあります。

その中の一つ、角栄が大蔵《おおくら》大臣時代に、新人官僚の入省式で見せたエピソードを紹介しましょう。

大臣室で約20人の新人が一列で待っていると、角栄大臣が「やあやあやあ」と部屋に入ってきました。

そして、列の端《はし》から新人一人ひとりと握手をして「やー堀君、がんばりたまえ」「中田君、しっかりな」などと、全員の名前をきちんと呼び続けていくのです。メモも秘書官からの耳打ちもなく、ひとりも間違えずに初対面の20名の顔と名前を一致させたのです。

コンピューターつきブルドーザーと評された角栄は、省内の官僚たちの写真・

名前・経歴が載った調査票を何度も読み、頭にたたきこんでいたのです。

これには、ほとんどが東大法学部出身で、国家公務員試験の中でも一番難関といわれる大蔵省に入ってきた、エリート中のエリートの新人官僚たちも、度肝《どぎも》を抜かれたといいます。そして、その多くは角栄のシンパになり、そのすごさをいろいろな場所で吹聴《ふいちょう》するようになったのです。

このように**人の名前を口に出すことは、呼ばれた本人に強い印象を残します。**


会社で書類を誰かに提出するとします。

それまで「この書類お願いします」と言っていたとすれば、「高橋さん、この書類お願いします」と言ってみる。

「部長、この書類の決裁お願いします」と言っていたとすれば、「山本部長、この書類の決裁お願いします」と言ってみる。

そうやって、誰かの名前を呼ぶ回数が増えれば増えるほど、まわりから好かれるでしょう。

こんにちは／こんばんは

――目を見ながら言ったら効果倍増

挨拶《あいさつ》の日本代表選手ともいえる存在。

それが「こんにちは」です。

日本語だけでなく、ほかの言語でも挨拶の言葉は必ずあります。


考えてみたら、なぜ人は挨拶するのでしょう?

人は他人と出会うときに、何らかの警戒心を抱きます。

挨拶することで、相手に「敵意」がないことを知らせることができます。

つまり、相手の警戒心を解きほぐして、安心感を与えるのが挨拶なのです。

都会にいる時間が長いと実感がありませんが、今でも山道や田舎《いなか》など、人が少ない場所では、見知らぬ人同士でも「こんにちは」と挨拶することが一般的です。

というのも、まわりに人が少ないからこそ、敵意がないことを知らせておく必要があるからです。

これは、おそらく世界中で共通でしょう。

もしあなたが、外出先から職場に戻って「ただいま戻りました」と挨拶したのに、誰も無反応だったらどう思うでしょう？

「何か怒っているのかな？」「嫌われているのかな？」と思うはず。また、あなた自身も、挨拶を返さない相手に対して、ムッとして不快感を覚えるでしょう。


きちんと「こんにちは」と挨拶すると、まわりから好かれます。


中には、とっつきにくい人や不機嫌《ふきげん》そうにしている人もいるでしょう。

しかし、そういう相手だからこそ、その警戒心を解くために、しっかり目を見て「こんにちは」と挨拶をすることが重要です。

たかが挨拶ですが、されど挨拶なのです。

「こんにちは」が単独で使われるようになったのは、明治時代になってからです。

もともとは、「今日《こんにち》は、いい日和《ひより》ですな」「今日は、ご機嫌いかがですか?」などと、挨拶の冒頭で使われていたフレーズです。

その後半が略されたものが明治の国定教科書に載ったことで、一般にも広まったといわれています。

漢字で書くと「今日は」で、「は」は助詞です。

だから発音は「わ」ですが、正しい日本語表記は「こんにちわ」ではなく「こんにちは」なのです。

また、より省略形の「ちわー」「ちわーっす」「ちぃーっす」「うぃっす」でも、仲間同士の挨拶であれば、親しみを感じられていいでしょう。

ただし、書くときの「こんにちわ」は、親しい者同士ならともかく、ビジネス上のメールや正式な文章では、文法的に正しい「こんにちは」を使います。

幼い印象を払拭《ふっしょく》し、誰からも好感を持たれるからです。

一方、日が暮れてからの挨拶である「こんばんは」はどうでしょう？

こちらも、「今晩《こんばん》は、よく冷えますね」「今晩は、お元気ですか？」などのように、挨拶の後半が略されて「こんばんは」になりました。

しかし「こんにちは」と違うのは、昭和61年の中曽根政権時に「現代仮名遣《かなづか》い」が公示されるまで、「こんばんわ」も正しい表記だったということ。

ややこしいですね。

こちらも、**使い分けは「こんにちは」と同様に、オフィシャルな文章では「こんばんは」にすることが無難です。**

日中でも日が暮れても、相手に敵意がないことを示すためにも、人と出会ったら、きちんと目を見て挨拶しましょう。まわりから好かれる人は、みんなこまめに挨拶しているのです。

おはよう

――「ねぎらう」気持ちで口にすると心に響く

「こんにちは」が、日中であればいつでも使える挨拶なのに対して、「おはよう」は原則、朝のみに使用する挨拶です。

家族や友人などを除《のぞ》いて、丁寧語である「おはようございます」を使うことが一般的です。

やはり、朝に気持ちよく挨拶することは大切ですよね。

もっとも、舞台やテレビなどの芸能関係や、深夜まで働く職場などでは、どんな時間帯でも「おはようございます」と挨拶することが多いようです。

「こんにちは」「こんばんは」などの挨拶と違って、「おはようございます」には「ございます」という丁寧語がつきます。

なぜでしょう？

これは、「おはようございます」という挨拶が、もともとは江戸時代の歌舞伎用語が起源だったことと関係があります。

公演当日、芝居小屋にまず一番に来るのは裏方のスタッフ。その後、役者たちがやってきて、最後に座長が来るというのが一般的です。ただし、役者たちも、化粧や衣装を整えるのに時間がかかるため、開演時間のかなり前に到着しました。

そこで芝居小屋では、自分たちよりあとに到着した目上の人に対して、「お早いお着きでございます」とねぎらいの言葉をかけるという風習が生まれました。

この「お早い」が転じて「おはよう」になり、「お着き」が略されて「おはようございます」になりました。そして、「おはようございます」と挨拶された役者や座長も、自分より早くから来て働いてくれている人間に対して、感謝の気持ちで「おはようございます」と返したといいます。

相手をねぎらう気持ちから生まれた言葉なので、「ございます」という丁寧語をつけるのが一般的なんですね。

職場で「おはようございます」と挨拶するときには、相手をねぎらうつもりで声をかけてみてはどうでしょう？　より気持ちがこもるのではないでしょうか。

おいしい／うまい

――「味」のことだけで使ったらもったいない

誰かに料理を作ってあげた。

誰かに食事をご馳走《ちそう》した。

そんなとき、言われて一番うれしい言葉はなんでしょう？

そう、やっぱり「おいしい」ですよね。

料理を作ってもらったり、食事をご馳走してもらったときには、まず「おいしい」と言いましょう。できれば、とびきりの笑顔をそえて。

料理の感想を表現する言葉としては、「おいしい」以外に「うまい」という言葉もあります。一般的に「おいしい」は丁寧で、やや女性的な言葉。「うまい」はぞんざいで、やや男性的な言葉であるという印象を持っている人も多いのではないでしょうか。

それは言葉のルーツから来ています。

「おいしい」は、「好《この》ましい」という意味の「いし」が語源です。室町時代に宮中《きゅうちゅう》で仕《つか》えていた女房《にょうぼう》たちの間で「いしい」となり、「美味《びみ》である」という意味で使われるようになります。さらに、軽い尊敬を表わす接頭語《せっとう》の「お」がついて「おいしい」という言葉になり、おもに女性の間で使われる言葉になりました。

「うまい」は、古語の「うまし」が語源です。「いし」よりも古い言葉ですが、食べ物だけに使われた言葉ではありません。

男性的に聞こえるのは「おいしい」との対比でしょう。

また、「うまい」は料理の味だけに使われる感想で、「おいしい」は味だけでなく、**環境、場所、会話などの状況をすべて含めた感想であるという説もあります。**

最近は女性でも、おいしい料理を「うまい」と表現することが増えてきました。

たしかに料理を食べた瞬間は、「うまい」「うまっ」という言葉のほうが、実感を伴《ともな》っているように聞こえる場合もあります。それでも、女性の口から「うまい」という言葉が出ることに抵抗を感じる人も、一定数いるでしょう。

人から好かれるという観点でいうと、避けたほうが無難かもしれません。

いただきます

――「感じがいい人」に思えるのはなぜ？

食事の前の挨拶として使われる言葉です。

本来は、自分以外の誰かが作ってくれた料理を食べる際に言う言葉でした。現在は、自分が作った料理にも、ひとりで食べるときにも言う人が多いでしょう。**誰かと一緒に食事をするとき、相手が気持ちよく「いただきます」と言うと、感じがいいですよね。**

日本全国のほとんどの地域で使われている言葉ですが、実はどのような経緯《けいい》で広まったのかは、はっきりとわかっていません。食前の挨拶として慣習化されたのは、昭和に入ってからではないかという説もあります。

「いただく」は、神様や位《くらい》の高い人から物を受け取る際、頭上に捧げ持つようにした様子から生まれた言葉です。頭が人間にとっての「頂《いただき》」だからです。

そこから、目上の人から物を賜《たまわ》る際の謙譲語として使われるようになりました。

「○○させていただきます」という使い方もします。

現在、食事の前の挨拶として使う「いただきます」には、大きく二つの意味がこめられていると言われています。

①出てきた料理に携わってくれた方への感謝
料理してくれた方、配膳をしてくれた方、野菜を育ててくれた方、魚を獲ってくれた方、輸送販売してくれた方など、その食事に携わってくれた方々への感謝。
②食材に対しての感謝
肉や魚はもちろんのこと、穀物・野菜・果物にも、もともと命があったと考えられます。それらの命に対しての感謝。


このように考えると、とても深い言葉です。

日本が世界に誇れる言葉なのではないでしょうか？　食事にかぎらず、常に「○○させていただいています」という気持ちで人に接する人は好ましいですね。

ごちそうさま

——どうせ言うなら気持ちよく！


食後の挨拶に使われる言葉です。

「いただきます」より古くから使われていました。

漢字では「御馳走様」と書きます。

「馳走」に「御」という接頭語をつけた丁寧語です。最後の「様」も、「お世話様」「お互い様」などのように、丁寧に言うときに使われる接尾語《せつび》です。

〝頭〟と〝尾〟、二重に丁寧な言葉なんですね。

「馳走」は、もともとは古代中国で使われていた言葉です。本来は「馬を駆《か》って走らせる」「奔走《ほんそう》する」ことを意味しました。それが日本に入って「お世話をする」という意味になります。また、お世話をするためには、食事が不可欠であるということから、「心をこめて用意した食事」という意味になったのです。

現在のように、食物があふれている時代ではなかったので、大切なお客様をも

てなすためには、それこそ走り回って用意する必要があったのです。

元来は、それだけ厚く「御馳走」してくれた方に、「御馳走様」とお礼を言うのがならわしでした。それが近代になって、食後の挨拶として定着したのです。「ごちそうさま」自体も丁寧な言葉ですが、さらに丁寧に言うと、「ごちそうさまです」「ごちそうさまでした」という言い方になります。

料理を作ってくれた方に「満足しました」という意味で使うことから、「ごちそうさまでした」と過去形にするのが一般的です。また、相手が料理をしていなくても、その機会を提供してくれたり、お金を払ってくれた場合にも使われます。

このほか、パートナーとの仲を自慢げに話す「のろけ話」を聞かされたときにも、「もうその話はお腹いっぱい」という意味で「ごちそうさま」と言うこともあります。

こちらの用法は、皮肉をこめた言い方になるので、使わないほうが無難です。

ご馳走を作ってくれた方にも、ご馳走をおごってくれた方にも、気持ちよく「ごちそうさまでした」と言える人は、まわりから好かれます。

おめでとう

――「愛でたい」と思って言うともっと心がこもる

祝福全般に使われる日本語が「おめでとう」です。

「おめでとう」には、大きく分けると**二通りの祝福があります。**

① 新年の挨拶や誕生日など、**おめでたい日の「慶賀《けいが》」を祝うとき。**

② 入学、卒業、就職、昇進、婚約、結婚、妊娠、出産、成功など**相手が何かを達成したとき。**

英語ではこの二つを使い分けします。

新年の挨拶や誕生日などの慶賀では「Happy」が、自力で何か成しとげたことには「Congratulations」が使われます。

「おめでとう」を漢字にして、「御目出度う」「お目出度う」「御芽出度う」「お芽出度う」などと表記されることもありますが、これらは当て字です。「目」「芽」が出るという意味からきています。

「おめでとう」は「めでたい」から派生した言葉です。

「めで」は、古語の「愛づ《め》」の連用形「愛で」からきています。

「愛づ」は、現代語の「愛でる」に近く、「心が惹《ひ》きつけられる」「賞賛する」「好む」「可愛がる」「いつくしむ」「気に入る」などの意味を持ちます。

つまり、「めでたい」は「愛でたい」ということ。

たしかに、**相手のことを「愛でたい」くらい好ましく思っていないと、心の底から「おめでとう」という言葉は出てこないかもしれません。**

言ったほうも言われたほうも、うれしくなる言葉ですね。「おめでとう」と言えば言うほど、誰かに「おめでとう」と言ってもらえる機会も増えそうです。

一方で「おめでたい人」という表現があります。一般的には「お人よし」という意味で、少し抜けている人を描写するときに使います。

ただし語源から考えると、おめでたい人は「愛でたくなるくらいの人」、つまり「愛すべき人」となり、本来はいい意味なのです。

そして、少しぐらい「おめでたい人」のほうが、まわりから好かれます。

いってきます／いってらっしゃい

——「元気でね」のメッセージがうれしい

「いってきます」は、家や会社などから出かけるときに使う挨拶。

「いってらっしゃい」は、出て行く人を送り出す挨拶。

全国共通で多くの人が使っている表現です。

語源は諸説ありますが、知るとより心をこめて言いたくなるものを、ここでは紹介します。

「いってきます」は、分解すると「行って」と「来ます」です。

つまり、「行って帰って来ます」という意味。

挨拶する相手に「戻ってくる」ことを約束しているのです。

逆に「いってらっしゃい」と言う側は、「行って帰ってらっしゃい」と送り出すことになります。

・「いってきます」……どこかに行っても、再び元気で帰ってくるという思いをこめた言葉
・「いってらっしゃい」……どこかに行っても、必ず元気で戻ってきてねという思いをこめた言葉

日本では、古来から「言霊《ことだま》」が信じられてきました。

言葉には不思議な霊力があり、口に出した言葉が現実化するというものです。

つまり、「いい言葉を口に出せば、いいことが起こり、悪い言葉を口にすれば、悪いことが起こる」という考え方です。

「いってきます」「いってらっしゃい」という毎日の挨拶にも、言霊がこめられているのかもしれません。

そのような意味を考えると、単純な挨拶ですが、深い意味があるんですね。

ビジネスシーンで目上の人に使う場合は、「いってらっしゃいませ」と丁寧語にするのが無難です。

ただいま／おかえり

――「待ちわびた」感をこめて

前項と同様に、「ただいま」と「おかえり」もセットで使われます。

「ただいま」は、家や会社などから帰ってきたときの挨拶。
「おかえり」は、戻ってきた人を出迎える挨拶。

「ただいま」は、「ただ今、帰りました」「ただ今、戻りました」の略です。
本来であれば、重要な情報であるはずの「帰りました」「戻りました」の部分が省略されていて、「ただ今＝たった今」の意味だけが残っています。

同じように「おかえり」も「おかえりなさい」の略です。
ただしこちらは、重要な部分は省略されていませんね。

「おかえり」には、「無事で戻ってきてよかった」「戻ってくるのを待っていたよ」というニュアンスが、強くこめられているように思います。

これらは、故郷など、しばらく離れていた場所に戻ったときにも使います。田舎では、帰省《きせい》してきた人には、家族でなくても「おかえり」と声をかける習慣があります。

とくに久しぶりに帰省したときなどは、そんなふうに声をかけられるだけでも、温かい気持ちになって、ジーンとしてしまいそうですね。

また、「おかえりなさいませ、ご主人様」という挨拶で迎えてくれるというメイド喫茶《きっさ》も一世を風靡《ふうび》しました（こちらは、初めて店を訪れても「おかえりなさいませ」という挨拶のようです）。

会社などで使う場合は、「ただいま」と略さず、「ただいま戻りました」と本来の形で使うのが一般的です。

迎えるほうは「おかえりなさい」や、より丁寧語である「おかえりなさいませ」を使うのが無難でしょう。

うれしい

――ストレートに言うほど効果的

「うれしい」には、大きく次の二つの使い方があります。

①自分の望みが実現したり、自分によいことが起きて楽しいとき
②相手から受けた行為に、感謝している気持ちを表現したいとき

①は自分ひとりで完結する「うれしさ」ですが、②は自分以外の誰かとのやり取りの中でわき上がってくる「うれしさ」です。

当然、口に出して好かれる「うれしい」は、②で使うときです。

誰かに何かしてあげて、「うれしい」と言ってもらえたら、どう感じますか？

間違いなく自分も「うれしい！」と感じますよね。

つまり、あなたが「うれしい」という言葉を口に出せば出すほど、相手はもっ

と「うれしい」ことをしてくれる可能性が高まるのです。

だからどんどん「うれしい」と口に出しましょう。

ビジネスメールなどの文章で書くときは、「そう言ってもらえてうれしいです」「そう言っていただけて、とてもうれしく存じます」などと、丁寧語や尊敬語で使うほうが無難です。

「お会いできてうれしいです」「お気づかいいただいてうれしいです」「おほめいただきうれしいです」「うれしいかぎりです」など、いろいろなバリエーションで使えますね。

しかし、目上の人であっても、時と場合によっては（とくに口頭では）、「うれしい」「うれしいです」とストレートに伝えることをおすすめします。そのほうが感情がこもっていて、本当に「うれしい」ことが相手に伝わるから。

漢字で書くと「嬉しい」になります。女偏《へん》に「喜ぶ」という字です。

たしかに、男性の立場からすると、こちらが何かしたことに、女性が「うれしい」と言ってくれると、とても「うれしい」気持ちになるものです。

楽しい

――リズムが合う関係を大事に

「楽しい」は、「満ち足りて愉快《ゆかい》な気持ちであること」を表現する言葉です。

あなたは、どんなときが一番楽しいでしょうか？

ひとりでいるのが楽しい人もいる。

気の合う相手とふたりきりで会うのが楽しい人もいる。

また、大勢で会うのが楽しい人もいるでしょう。

「楽しい」と感じるとき、あなたの心の中には、どんな感情があふれているでしょうか？


その語源は、「手伸《ての》し」だという説があります。

つまり、手を伸ばしている状態のこと。手を伸ばして舞い踊る様子からきたというのです。

「楽」という漢字も、楽器を鳴らしている様子から成立しました。

どちらにしても、リズムを奏《かな》でるような、心地よい状態を表わしているといえるでしょう。

誰かと会って楽しく感じるときは、心の中で奏でられるリズムがうまく合っているときかもしれません。

何かを一緒に体験しているとき、相手が「楽しい」と言ってくれると、こちらも楽しくなります。つまり、言えば言うほど楽しくなるということです。

「楽しい」の古語である「たのし」には、楽しいという意味以外にも、「豊か」という意味もあります。

豊作であったり、金銭的に裕福である場合に使われます。

徒然草《つれづれぐさ》第九十九段には「堀川相国《ほりかわのしょうこく》は、美男《びなん》のたのしき人にて」という表現が載っています。これは「堀川太政大臣《だいじょう》は、美男子で裕福な人であって」という意味です。いろいろな意味で「楽しい人」になれたらいいですね。

おもしろい

――「おもしろがる人」は好ましい

「おもしろい」という言葉は、とてもおもしろい。

「楽しい」と近い意味ですが、少しニュアンスが違います。

漢字で書くと「面白い」になります。

語源を知ると、さらにおもしろく感じることでしょう。

『古事記《こじき》』や『日本書紀《にほんしょき》』に出てくる「天《あま》の岩戸《いわと》神話」をご存じですか？

弟スサノオの荒々しいふるまいに怒ったアマテラスが天の岩戸に隠れて、世の中が暗闇に包まれてしまう。いくら説得しても出てこようとはしない。そこで神々が集まり相談して、アマテラスを岩戸から引き出すための策略を練る。それは岩戸の前で舞い踊るというもの。やがて、自分がいないのに、みんなの笑い声が聞こえてきたのを不審に感じたアマテラスが顔を出したところを引きずり出す。

それによって世界は光を取り戻す――。

これと同じシーンが、平安時代の歴史書『古語拾遺《こごしゅうい》』にも取り上げられています。光を取り戻した明るい世界で、神々たちが喜び舞うさまを描写する記述の中に、「あなおもしろ」という言葉が出てきます。「あな」は、感動詞で「ああ」「あら」という強調の意味。「おもしろ」は、光に照らされて、神々の顔（面）が白く輝いて見えることを表現しています。

そこから、「面白い」が「楽しい」に近い意味になったといわれています。

お笑い芸人さんがそうであるように、「おもしろい人」はやっぱりモテます。

しかし、「おもしろい人」になるのはハードルが高い。

だとしたら、何でも「おもしろがる人」になるのはどうでしょう？

どんなことにも「おもしろい」と口に出して「おもしろがってくれる人」は、みんなから好かれます。

すごい／さすが

――ほめようがないときには……

ある自動車教習所は、教官が生徒をほめることで大きな成果をあげています。生徒の意欲が高まり、学校の雰囲気が明るくなり、卒業1年以内の事故率も大幅に減少し、何より教官と生徒の間に信頼関係が生まれる効果があるそうです。

教官が使うほめ言葉は、「すごい」「さすが」「すばらしい」の3S。それに「すてき」「さいこう」を足して5Sとする場合もあります。

漢字で書くと、「凄い」「流石」「素晴らしい」「素敵」「最高」になります。

語源的には、「すごい」のように、もともとあまりいい意味ではなかった言葉もありますが、現在においては、言われて悪い気がする人は少なく、積極的に使いたいところです。

とはいえ、心の底では本当はそう思っていないのに、口先だけで言うのはただのお世辞《せじ》です。感情がこもってこそ効果があるのです。

どうしてもほめる要素がないときは、どうすればいいでしょうか？

前述した自動車教習所では「惜しい！」と言ってから、改善すべきポイントを指摘すればいいのです。

「惜しい！」を使うそうです。

書き言葉であれば、112ページの「惜しむらくは」という表現がおすすめです。

ただし、会社などでは、上司や得意先など目上の人に向かってこれらの言葉は使わないほうがいいともいわれています。

なぜなら、それらの言葉は本来、評価を下す側が発する言葉なので、上から目線に感じられるというのが理由です。

たしかにそうかもしれません。**ただ、心の底から思ったときであれば、ひとまず「さすが」「すごい」と口に出してかまわないのではないでしょうか？** 言われた側もきっと悪い気はしないでしょう。

さらに、**これらの言葉のあとにひと言つけ加えると、上から目線には感じません。** たとえば、「山口部長、すごい！ あんなに核心をついたプレゼンは初めて見ました。どうやったらあんなプレゼンができるんですか？」のように使います。

おかげさま

――3種類の「おかげさま」を上手に使い分け

直接的または間接的に、「世話になった人への感謝の気持ち」を表現するときに使う言葉です。

漢字では「御蔭様」と書きます。

神仏などの陰でその加護を受けるという意味の「御蔭」に、敬意を表わす「様」をつけたのが語源です。もっとも現在では宗教色は薄まり、「他人から受ける助力・協力・援助」に対する感謝として、さまざまな場面で使われます。

「おかげさま」は、3種類の使い方があります。

①相手への直接的な感謝の気持ち

助力・協力・援助などを受けた相手への感謝を表現する。

(例) おかげさまで取引させていただくことになりました。ご紹介いただきありがとうございます。

②相手の気づかいに対する感謝の気持ち
体調や近況などを聞かれたとき、相手の心づかいへの感謝を表現する。
（例）おかげさまで元気で暮らしています。

③世間全般に助けられているという感謝の気持ち
（例）おかげさまで創業25周年を迎えました。

相手や世間に対して、常に「おかげさま」という気持ちで接して、それを口に出すと、まわりから好かれる人になるでしょう。

なお、「おかげさま」という言葉は、通常は文頭で使われます。
たとえば文中で、「吉田さんのおかげさまで」などという使い方はしません。
その場合は「吉田さんのおかげで」というように使うといいでしょう。

感謝します

——お互いの気持ちがやわらぐ一瞬

さまざまな場面でよく使われる言葉、それが「感謝」です。
あなたは、「感謝」の気持ちをきちんとまわりの人に伝えていますか?
この熟語は、漢字の「感」と「謝」によって成り立っています。
それぞれの漢字を辞書で調べてみると、おもな意味は次の通り。

・「感」……①物事に接して生ずる心の動き。②深く心が動くこと
・「謝」……①ありがたく思うこと、謝礼。②あやまる・わびること、謝罪。
③断ること、謝絶。④おとろえる、入れ代わること、代謝

「謝」という漢字には、「ありがたく思う」という意味もあれば、「あやまる」「断る」など、正反対の意味もありますね。

なぜでしょう?

これは「謝」という漢字の成り立ちと関係しています。

分解すると、「言」と「射」で、できているのがわかるでしょう。

「言」は口を使って言うこと。「射」は張りつめた矢を手から放つこと。

言葉を発することで緊張をゆるめるというのが「謝」の意味なので、謝礼にも謝罪にも、この漢字が使われるのです。

つまり、感謝とは「ありがたいと感じた気持ちを言葉にして伝える」ということにほかなりません。

言葉にして伝えることによって、初めて緊張がやわらぐのです。

感謝する対象は、お世話になった人だけとはかぎりません。

32ページの「いただきます」の項でもふれたように、私たちの食料になってくれている、肉や魚、穀物・野菜・果物などにも感謝したいものです。

人にも物にも、感謝を口に出して伝えている人は、まわりから好かれます。

どんどん感謝してみませんか。

コラム1 「敬語」はあえて堅く、あえて崩す

同じ言葉でも、相手との関係性によって、受け取る印象は大きく変わります。

とくに日本語には、「目上」「目下」という概念があり、話す相手によって言葉が変わるという特徴があります。いわゆる「敬語」です。

本書でも「目上」という表現が頻出《ひんしゅつ》します。

一般的に「目上の人」は、自分より「地位・階級が上な人」「年長者」を指し、敬語で接するべきだといわれています。

個人的には、このような概念はなくなってもいいと思います。

目上・目下にかかわらず、ビジネスシーンでは丁寧語は必要ですが、必要以上の敬語を使うことは、コミュニケーションの妨《さまた》げになると思うからです。

ただし日本では、まだまだこの関係性や敬語であるかどうかを気にする人が多

いことも事実です。そのような理由から、本書では「目上の人には使わないほうが無難です」という記述をしています。

たしかに、目上の人にきちんと敬語で接していると無難です。

「嫌われること」はないでしょう。

ただし、それではいつまでたっても相手との距離が縮まりません。**本当に好かれるためには、そこから一歩踏みこむ必要がある**ことも事実。

あなたのまわりを見まわしても、目上の人にフランクに接することで好かれている人がきっといるでしょう。実際、自分が年長者になることが多くなると、あまり丁寧な言葉で対応されるのは、逆にさびしいものです。

では、どう使い分けるか。

以前、タレントの指原莉乃《さしはらりの》さんが語っていた言葉が参考になりそうです。

彼女は年長の男性スタッフなどと話すとき、次のポリシーで接することにしているといいます。

・すごく偉い人にはフランクに
・ちょっと偉い人には丁寧に

誰もが知っているような有名人や、本当に地位が高い人には、フランクに接するほうがむしろ喜ばれることが多い。だから、できるだけ他人行儀な敬語を使わないようにする。

しかし、組織の中で中途半端に偉い人は、上下関係や礼儀にうるさい人が多いので、きちんと敬語で接する。

なるほど、それは彼女が芸能界で成功している秘訣かもしれませんね。

二章

飾らない〝ほめ言葉〟が心に響く

いい名前ですね

――文字でも音の響きでも……ほめるポイントはたくさん

あなたは自分の名前が好きですか？

もちろん、中には好きじゃないという人もいるかもしれません。

それでも、**呼ばれて一番ハッとするのは、自分の名前です。**

名刺交換などをして、相手の名前を知ったら、まずは漢字の読み方などを確認しましょう。そして、さりげなく言うのです。

「いいお名前ですね」

そもそも、人の名前に「悪い」は存在しません。

姓は、最初に名乗った先祖が「いい」と思ってつけたものです。

名は、親が子どもの成長を祈って「いい」と考えてつけたもの。

みんな「いい名前」に決まっています。

「いい」は、相手に合わせて、いろいろなバリエーションが考えられます。

「かっこいい名前ですね」
「かわいい名前ですね」
「きれいな名前ですね」
「俳優みたいな名前ですね」
「すてきな名前ですね」

相手によっては、ネガティブな反応を示す場合もあるかもしれません。難読であったり珍しい名前であったりしたら、質問されることにうんざりしているかもしれません。

それでも、「いい名前ですね」と口に出しましょう。

具体的にほめるかほめないかは、相手の反応を見て決めるといいでしょう。ほめる箇所は、音でもいいし、漢字でもいい。

何かしらのほめる部分はたくさんあるはずです。

よかった

──「良い」も「好い」も「善い」も含めてどんどん使える

不安や心配だったことが、好ましい方向に解決し、安堵《あんど》したときに使います。「それを聞いてうれしい。安心した」という意味で、とくに自分以外の誰かにいいことがあったとき、思わず口に出る言葉です。

自分がした行為を、相手が気に入ってくれたときにも使います。

あなたも、誰かに何かよい報告をしたときに「よかったね」と心から喜んでくれたら、本当にうれしいですよね。自然にその人のことを好きになります。

「よかった」の元になっているのは、「よい」という言葉です。

「よい」は漢字で書くと、「良い」「好い」「善い」などが当てはまります。

・良い……人や物事の質が高く、ほかのものよりもすぐれていること

・好い……人の性質や物事の状態が、好ましいこと
・善い……人の行ないなどが道徳的に望ましい、正しいこと

それぞれ微妙にニュアンスは違いますが、どちらにしても「望ましい方向」の言葉であることは違いません。

誰かからよい報告を聞いたときは、心から「よかった」「よかったね」と言ってあげましょう。職場の同僚や部下の仕事がうまくいったときに、「よかった！」と心から喜ぶと一体感が生まれ、まわりから好かれます。

丁寧語にすると「よかったです」「よかったですね」になります。

ただしそれでも、相手によっては注意して使うほうがいい場合があります。

なぜなら、**「よい」（当然「悪い」も）という言葉は、何かしら相手のことを評価する立場になっている**からです。

いくら丁寧語にしても、「上から目線」だと感じる人もいます。上司やお得意様など、上の立場の相手に使うのは、慎重にしたほうがいいかもしれません。

何よりです

——共感されると誰もが心地いい

「よかった」がカジュアルすぎて使いにくいとき、重宝《ちょうほう》するのが「何よりです」というフレーズ。

「何よりもうれしいです」を省略した慣用表現です。

相手の近況や報告などを聞いたときに、「とてもうれしい」という気持ちを表現することができます。たとえば、次のように。

「お元気そうで何よりです」
「ますますのご活躍、何よりです」

また、何かで助力や助言をした相手から、問題が解決したことにお礼を言われたときの返答としても使います。

「お役に立てて何よりです」のように。

普通に「どういたしまして」と返すよりも、少し改まった感じがします。

「何よりです」という言葉には、共感や親近感が含まれつつ、丁寧語として相手に対する敬意も含まれています。

そのため、立場や役職の上下にかかわらず使えて便利です。

部下などからのよい報告に対しては「それは何より」というふうに、カジュアルに返すことも可能です。

ただし、多くの場合、「何より」が具体的に「どんなものより〝何より〟なのか」ということは、曖昧《あいまい》にされたままです。

汎用性《はんようせい》が高く使いやすい反面、とくに話し言葉であまりに使いすぎるのは、避けたほうがいいでしょう。

口先だけで言っているように聞こえるからです。

そういう意味では、前項の「よかった」「よかったです」は話し言葉向き、「何よりです」は書き言葉向き、といえるかもしれません。

いつもありがとう

——「これまでも」「これからも」がうれしい

「なんだ。〝ありがとう〟に〝いつも〟をつけただけじゃないか」と思った人、大勢いるかもしれません。

たしかに、14ページにも述べたように、「ありがとう」だけでも、言われた側の承認欲求は満たされます。しかし、「いつも」をつけるだけで、「ありがとう」の価値はぐーんと上がるのです。

なぜなら、**「いつも」をつけるだけで、今回だけでなく「これまでもずっとありがとうと思っていた」という意味が付加される**からです。

さらに、未来への継続性も示唆《しさ》します。

まず、家族・パートナー・職場の同僚など、毎日のように会って世話になっている人に対して「いつもありがとう」と言ってみましょう。

改めて言うのは恥ずかしいものですが、言われる側はうれしいものです。照れずに言う勇気と、タイミングが重要ですね。

さらに、「いつもありがとう」は、**まだそんなに親しい関係ではない相手に使っても効果があります**。言われた側は、「そんな感謝されることしたっけ?」と改めて意識するでしょう。

そもそも人は、誰かを助けようとするとき、その相手に何かしらの好ましい感情を持っていることが多いのです。

自分が大嫌いだと思っている相手に援助しようとは思わないですよね?

相手から「いつもありがとう」と言われたということは、過去に援助していたという記憶につながります。要は、**「ああ、私はこの人のこと好きだったのかも」とさかのぼって考える**ということです。

もし、親しくなりたい、味方になってほしいと思う人がいたら、何かしてもらったときに「ありがとう」ではなく、「いつもありがとう」と言ってみましょう。

逆に、これ以上、親しくなりたくない相手には、あまり使わないほうがいいかもしれません。

よろこんで

——楽しいときにも、辛いときにも？

依頼や提案を積極的に承諾するときに使います。

何かの会合に誘われたときに、いやいやでなければ、ポジティブな気持ちを表現したほうが、人から好かれやすいことは言うまでもありません。

書き言葉では「よろこんで出席させていただきます」「よろこんで参加させていただきます」というふうに使います。

会話の中で、相手の提案に「よろこんで！」と即答すると、素直さや元気さをアピールすることができます。

「どこかの居酒屋みたい」と思われた方、いるかもしれませんね。

その通りです。「ハイ！　よろこんで」という返事は、「やるき茶屋《ぢゃや》」という居酒屋から始まったそうです。

昭和57年。ある会社が新業態の店舗として、「やるき茶屋」を出店することになりました。「茶屋」という名前をつけたのは、まだ交通手段がない時代、峠《とうげ》の茶屋で旅人がほっと息をついたような、くつろげる店作りを目指したからです。

一号店の開店に向けて会議を重ねる中、「やるき茶屋ならではの、お客様へのお声がけを考えよう」と当時の社長が発議します。そして、近くにいた幹部に「何かいいアイデアはないか？」とたずねました。

大勢の前でいきなりふられたその幹部は頭が真っ白になり、思わず出た言葉が「ハイ！ よろこんで」だったのです。意味をたずねられると、その幹部は、「『苦しいときにも、よろこんで！』『辛《つら》いときにも、よろこんで！』『くやしいときにも、よろこんで！』『悲しいときにも、よろこんで！』」と答えたといいます。

結局、その「ハイ！ よろこんで」が「やるき茶屋」の声がけとして採用されました。お客に好評だったため、そのグループ全体の居酒屋でも使われるようになっています。実は、店舗だけでなく、本社での会議・イベント・日常の挨拶でも、「ハイ！ よろこんで」が使われているとのことですからすごいですね。

楽しみにしています

――「待ちこがれている」と思われて悪い気はしない

「楽しみにしています」の意味は、「未来のことを心から待っている」ということです。口頭ではもちろんメールの末尾でも、近い将来、その相手と会合・食事・商談などをすることを約束したときに使います。

「村上さんとお会いすることを楽しみにしています」などというふうに。

自分と会うことを「楽しみ」にしてくれている相手には（たとえ社交辞令であっても）、自然と好感を持ちます。

また、**一度会ったあとにも使えます**。

「本日は誠にありがとうございました。おかげさまで有意義《ゆうい ぎ》な会合となりました。今後も中村さんとご一緒できますことを、楽しみにしています」

一度会った上で、次回以降も会うことを楽しみにしてくれているわけなので、相手はこちらに好感を持つでしょう。

もちろん、一度も会っていなくても、仕事をスタートさせるときに「渡辺様とお仕事をさせていただくのを楽しみにしています」などというふうにも使えます。

「楽しみにしています」は、「楽しみにしている」という言葉に「ます」という丁寧語をつけているため、敬語表現です。目上の人に使っても問題ありません。

「楽しみにしております」だと謙譲語になり、より丁寧な言葉になります。

親しい相手であれば「楽しみ！」「楽しみです」などと、くだけた表現にしてもいいでしょう。

逆に「楽しみにしています」というメールを受け取った場合、どう返事をすればいいでしょう？

無難なのは、「こちらこそ楽しみにしています」という返事をすることです。

しかし、「次回のご提案も楽しみにしています」などのように、具体的に成果を求められるような局面では、こちらも楽しみにするのはヘンです。

その場合は「ご期待ください」や、72ページで取り上げる「ご期待にそえるよう尽力いたします」などと返事をするのがいいでしょう。

心待ちにしています

——やわらかで、知性のある人は好ましい

前項の「楽しみにしています」と同様の場面で使えます。

「心待ち」は「こころまち」と読みます。

その字の通り、「心が待ち望んでいる」という状態です。

待ち望んでいるものは、実際の「もの」の場合もありますが、多くの場合は「状態」です。

「その人と会えること」「提案したことが採用されること」「合格などの結果」などのよい状態になることを、心から待ち望んでいるときに使うのが一般的です。

少し古風な印象がある言葉です。その分、受け取る側は「楽しみにしています」より、優雅さを感じることが多いかもしれません。

たとえば、ビジネスシーンで初めて会う相手からのメールで、次のように書かれていたとしたら、どう感じるでしょう？

「お目にかかれるのを心待ちにしております」

やわらかで、それでいて知性を感じられる気がします。

年齢の若い人が使えば、なおさらそのギャップで効果がありそうです。

もちろん目上の人に使っても問題ありません。

とはいえ、あまりにささいなことで使うと、大げさに聞こえてしまいます。

「心待ちにしています」というメールを受け取った場合の返事については、どう返せばいいでしょうか？

「こちらも楽しみにしています」と同様に、「こちらも心待ちにしています」という返し方で大丈夫です。

具体的な成果を求められた場合は、次項の「ご期待にそう」を使って、「ご期待にそえるように頑張ります」などと返事をするのがいいでしょう。

ご期待にそう

——そこに向かって頑張ります！

「ご期待にそう」は、「相手の望みや願い通りの結果を出す」という意味で使います。相手があなたに、何か期待をかけてきたときに使う表現です。

とくにビジネスシーンで、取引先や上司から要望や激励の言葉があった際に、使われることが多い表現です。

相手から期待されたときには、それをそのまま受け流すのではなく、そこに向かって頑張ることを表明するほうが、好かれやすいでしょう。

話し言葉の場合は、「ご期待にそえるように頑張ります」などとします。

メールや手紙など文章の場合は、たとえば次のように使えます。

「ご期待にそえるよう尽力いたします」

「ご期待にそえるよう精進《しょうじん》いたします」

前述した「楽しみにしています」「心待ちにしています」などの返信にも利用できます。

「そう」は「沿う」と「添う」の二つの漢字があてられます。

どちらを使っても、意味はほとんど同じです。

ただ正確にいうと、**「沿う」が相手の意向に従うという受動的なニュアンスを持つのに対し、「添う」は内面からわき出る能動的なニュアンスを持ちます。**

「沿」という漢字には「何かから外れないようにする」という意味があり、「添」という漢字には「つけ加える」「ともに行動する」という意味があるからです。

また、何か依頼や提案されたことを、メールや手紙で断るときにも使えます。

「せっかくのご提案でしたが、今回はご期待にそえず申し訳ありません。ぜひ、また別の機会にご提案いただけましたら幸いです」というように。

ただし、常套句《じょうとうく》として使うだけではなく、本当に「期待にそえる」ように努力しているかを、自分自身に問いかけたい言葉です。

胸をうつ／胸にせまる

——その感動度はどれくらいでしたか

小説・映画・アートなど、何かの作品の感想を言ったり、書いたりしなければならないときがあります。

「感動しました」だけでは、ちょっと芸がない。
ちょっと気がきいた表現ができると、「あの人が使う言葉はすてきだな」と思ってもらえるかもしれません。

「感動しました」の言いかえには、いろいろな表現があります。
中でも「胸」を使った慣用句をおすすめします。
やわらかな印象を人に与えることができるからです。
たとえば、「感動した」を、「胸」を使った慣用句で置きかえてみましょう。

・「胸をうつ」……強く感動する
・「胸にせまる」……ある思いが強く押し寄せて感動する
・「胸にしみる」……じんわりと感動する
・「胸にひびく」……痛切に感動する
・「胸がいっぱいになる」……心がその思いで占められるほど感動する

ひとくちに「感動した」と言うよりも、よほど印象に残る感想になりそうです。

これらの「胸」は「心」という単語に置きかえることもできます。
「心をうつ」「心にせまる」「心にしみる」「心にひびく」などのように。
意味合いは、ほとんど同じです。
ただ「心がいっぱいになる」という表現はあまりしません。
こちらは、やはり「胸」である必要があります。

教えてください

――プライドをくすぐられると人は弱い

人は誰かに何かを教えるのが大好きです。

したがって、誰かに「教えてください」と言うことは、その相手から好感をもたれる可能性を高めるといえるでしょう。

「教えてください」と直接言うのが恥ずかしい場合は、相手の得意なことを質問するという応用テクニックがあります。

「加藤さんは、どうしてそんなに企画が通るのですか？」というふうに。

あくまで一般論ですが、年長で男性ほど教えるのが好きなもの。なぜなら、男性は人に教えることで、「頼られている」「人の役に立った」「自分は強い存在」だと思いたいからです。要は、プライドや承認欲求が満たされるのです。

あなたが女性であっても男性であっても、年上の男性に「教えてください」と言うことは、相手の気持ちを満たしてあげることにもつながります。

とはいえ、仕事のことで、あまりに簡単なことを何度も「教えてください」と言うのは考えものです。「覚える気がないのか」と思われてしまうからです。

また、年長者が年下の人間に、ＰＣやスマホの操作などを何度も聞くのも、疎《うと》ましがられる可能性が高いでしょう。

教えてもらっている間は、相手の話を興味深く聞くことが重要です。

このときの聞き方で、相手の満足度は大きく変わります。

「へぇーそうなんですね」「すごい」「知らなかった」などと、適切な相づちを打つことも重要です。ただし、うわべだけの言葉なのか、それとも相手が本当に興味を持っているかは、話し手にはすぐにわかります。

相手が得意にしていることや趣味の話題などを、きちんと興味深く聞くことができたら、それだけであなたは好かれます。

ただし、うかつに「教えてください」と言ったばかりに、相手は自分に興味がないことを延々としゃべり続けるかもしれません。それは覚悟の上で。

勉強になりました

――「参考になりました」との大きな違い

相手から何かを教えてもらったとき、どんな言葉で返すのがいいでしょうか？

目上の人間に「参考になりました」「参考にさせていただきます」という言葉を使うのは、失礼だといわれています。

「参考」という言葉が、「何かの足しにする」というニュアンスを持つため、上から目線に聞こえるというのが理由です。

一方で、「勉強になりました」は、自分自身がその人から学んで「役に立った」ことなので、上から目線にはなりません。目上の人に使っても大丈夫です。

相手から、何かしらの有益な情報や知識を教えてもらったときに使えます。

同じような意味で、「学ばさせていただきました」というフレーズもあります。

こうすると、謙虚さがより強調されます。

ただし、「勉強になりました」も、言い方ひとつで相手を不快にさせることがあります。

社交辞令で言っているだけに聞こえるときです。実際、「勉強になりました」とよく言う人ほど、何の行動も取らないケースがあります。

教えてよかったなと思うのは、相手の行動が何か変化したときです。

教えてもらったことで、あなたの行動がどう変わったかを伝えましょう。

「昨日はいろいろ教えていただき、大変勉強になりました。早速、おすすめいただいた書籍を、帰りの本屋で買って読み始めています」

……などというふうに。

すぐに行動を起こせなかったときでも、具体的に何が勉強になったのか、どんなふうに行動を変えていくつもりか、などを伝えましょう。

そのような言葉を積み重ねていくと、好かれるだけでなく、信用できる人物だと思ってもらえます。

○○さんがほめてましたよ

――「第三者の話」は信じやすい

さりげなく使うと人から好かれる方法があります。

それは、**「他人がほめていた」と伝えること**です。

あなたが、記念日にレストランを予約するときのことを想像してください。

その店自身の広告と、グルメサイトの評価、どちらを信用しますか？

多くの人は、グルメサイトで第三者が下している評価を信用するでしょう。

このような「第三者が発信した情報は信頼されやすい」という人間の心理傾向を、「ウィンザー効果」と呼びます。

作家アーリーン・ロマノネスの『伯爵《はくしゃく》夫人はスパイ』という本の中で、ヒロインのウィンザー伯爵夫人が言った「第三者のほめ言葉が、どんなときにも一番効果があるのよ、忘れないでね」というセリフが由来だとか。

目の前にいる相手からほめられても、「どうせお世辞でしょ」と思う人が多い。

一方で、他人がほめていたという間接的な評価を聞くと、真実味を感じます。

また、喜びも大きくなり、**ほめてくれていた人はもちろんのこと、それを報告してくれた相手にも強く好感を抱きます。**

たとえば、あなたが佐藤さんに向かって、「鈴木部長が佐藤さんのこと、若いのにしっかりしているとほめてましたよ」と言ったとします。すると佐藤さんは、鈴木部長のことはもとより、あなたにも好意を抱くということです。

もちろん、だからといって、実際に鈴木部長が佐藤さんのことをほめていないのに、勝手に話を作るのはもってのほかです。言っていいのは、本当に鈴木部長が佐藤さんのことをほめていたときだけです。

あなたが誰かをほめていたことを、誰かがその本人に伝えてくれるかもしれないので、本人がいないところでも、できるだけ人をほめましょう。

一般的にその場にいない人のことは、悪口を言いがちです。誰かが陰で自分の悪口を言っていたと知ると、直接言われるよりも腹が立ちます。たとえ本人がいなくても、その人の悪口は言わない。それが人から好かれるコツです。

大変だったんじゃない？

——言われたら涙が出るほどうれしい理由

誰かがやった行為を評価するとき、結果ばかりに目を向けていませんか？

その**プロセスにも目を向け、そこをねぎらうことができたら、あなたはますます好かれる**でしょう。

たとえば、職場で部下が、会議に向けた資料をまとめてくれたとします。

内容に対する評価ももちろん重要ですが、まず目を向けるべきはそれにかかったプロセスです。

当たり前ですが、資料をまとめるには、資料を集め、どういうレイアウトにするか考えて、実際にそれをパソコンに入力しなければなりません。

まず、そこを想像してねぎらうのです。

そんなときに使えるフレーズが、「大変だったんじゃない？」というものです。

「この資料見やすいよね。これ作るの、大変だったんじゃない？」というふうに。

もちろん仕事以外の部分でも使えます。

パートナーが豪勢《ごうせい》な食事を作ってくれたとしたら、

「おいしそう！　これ作るの、大変だったんじゃない？」

パートナーがたくさんあった洗濯物をたたんでくれたとしたら、

「わあ、洗濯物がたたまれている！　これ、大変だったんじゃない？」

たとえ心の中では、「自分がやったら、もっと見やすい資料が作れる」「もっとキレイにたためる」と思ったとしても、まずはそのプロセスをねぎらいます。

相手はあなたのために、それをやってよかったと思うでしょう。

そして、相手がおしゃべりであれば、「よくぞ聞いてくれました」とばかりに「どれだけ大変だったか」を、滔々《とうとう》としゃべり始めるはずです。

もし改善点があったとしても、プロセスをほめてから指摘します。

もちろん、それなりの対価を払ってプロに頼む場合は、まず結果が求められることは言うまでもありません。

頭が下がる

——ふだんは「下げていない」？

相手に対して、尊敬や感服している様子を表わす際に使われる言葉です。

もともとは、「頭」を「下にさげる」という動作、つまり「お辞儀《じぎ》」に由来するものです。お辞儀は、日本人にはなじみの深い動作で、「相手に対する敬意や尊敬」の意味が含まれています。

細かく分けると次のような使い方があります。

① 頑張ったり努力したりしている人に向けて使う

「小林さんの頑張りには頭が下がるよ」

② お世話になっている人への、感謝の気持ちで使う

「夫の献身的なサポートには、本当に頭が下がる思いです」

③ 気くばりや心づかいについて、感謝の気持ちで使う

「来客一人ひとりへの細かな心くばりには頭が下がります」

④利他《りた》の精神で、人や組織のために行動していることへの尊敬の気持ちで使う

「斉藤部長の会社への愛情には、本当に頭が下がります」

敬意や尊敬の意味なので、目上の人に使っても失礼でないかというと微妙です。「頭が下がる」という気持ちは、ある人の特定の行動などに敬意や尊敬を抱くことを指します。つまり、**目上の人に直接「頭が下がる思い」を伝えることは、ふだんはその人に敬意を抱いていないことを連想させるのです。**

ただし、本人でない相手との会話の中で、第三者として登場させて語ることは失礼にあたりません。

似て非なる言葉に「頭が上がらない」があります。

こちらの言葉は、過去に恩や世話を受けたことで「対等にふるまえない」「絶対に逆らえない」という意味を持ちます。

相手に対する感情の方向性もまったく違います。

頼りになる

――滅多に言われないからこそすごく効く

「男性が言われてうれしい言葉」というアンケートにおいて、たいてい上位にくるのは、「頼りになる」「頼りにしている」などの言葉です。

「頼りになる」とは、どんな人のことをいうのでしょう。

たとえば、「決断力がある」「トラブルのときに臨機応変に対処できる」「ささいなことで感情的にならない」「正義感がある」「思いやりがある」などのような人のことをいいます。

そうなりたいものですが、実際はなかなかむずかしい。

裏を返せば、一般的な男性は、「頼りになる」「頼りにしている」などという言葉を、滅多にかけてもらえていないということです。

だからこそ、ちょっとしたことに対しても、「頼りになる」「頼りにしている」と言葉をかけてあげると、とくに男性は、異性はもちろん同性からでも喜びます。

「自分が認められた」「自分が必要とされている」という承認欲求が満たされるからです。さらに、誰かの役に立てたというれしさもあります。

そして、「その期待に応えよう」「役に立とう」と、さらに頑張るのです。

相手を成長させるためのフレーズともいえます。

当然、「頼りになる」「頼りにしている」という言葉を口にすればするほど、相手から好かれます。

逆に「頼りない」と言われるのは、とくに男性にとってはとても傷つく言葉なので、よほどのことがないかぎり言わないほうがいいですね。

「頼りになるね」「頼りになります」という表現は、何か具体的な、頼りになる行動をしてもらったあとに使われます。

「頼りにしている」「頼りにしています」という表現は、過去を踏まえた上で、未来に向けて使われることが多いようです。

時と場合によって使い分けましょう。

ただし、誰かれかまわず言っていることがわかると、効果は半減します。

仕事が早い

——容姿や性格はほめにくくても、これならOK

頑張って仕事をしてくれている部下や後輩に、何かほめ言葉をかけたい。上司や先輩ならば、そう思うこともあるでしょう。

しかし、人をほめるのは意外とむずかしいもの。

自分がほめ上手だと思っている人ほど、ピント外れなほめ方になっていることがよくあります。

ほめるところを間違えると、逆効果にしかなりません。

親しく感じている相手から言われるとうれしい言葉でも、そうでない相手から言われると、気持ち悪いと感じるケースもままあります。

職場では容姿などの外見をほめることは、やめたほうがいいでしょう。

また、「やさしい」「気がきく」などの性格を表わすほめ言葉も、その言葉を発する相手によっては、いい意味にとられない可能性があります。

では、どんな言葉でほめるのがいいでしょうか？

職場においては、原則として「仕事に関すること」でほめるのが無難です。

たとえば、次のような言葉です。

・仕事が早い
・仕事が丁寧
・クオリティが高い
・フットワークが軽い
・処理能力がすごい
・勘《かん》がいい
・飲みこみが早い

何か該当するようなことがあれば、照れずにタイミングを逃さず言うのがおすすめです。

センスがいい

——モノをほめるなら、それを選んだ人をほめる

話し相手の、ファッション・小物・持ち物をほめたくなるときがあります。


「そのバッグ、いいですね」

「おしゃれなメガネですね」

「その手帳、かわいいいね」


このように、持ち物を直接ほめられるのも、悪い気はしないでしょう。

しかし、もっと好感をもたれるほめ方があります。

それは、**そのようなファッション・小物・持ち物を選んだ、本人のセンスをほめる**という方法です。たとえば、次のように。

「そのバッグ、センスいいですね」
「そのメガネ、センスいいですね」
「その手帳、センスいいね」

「センス」とは、物事の味わいや、微妙な機微《きび》がわかっていることをいいます。説明しづらい理由や理屈をぬきにして、何となく感じる印象のよさを表わす表現なので、便利な言葉です。

そのために、自分の「センス」のよさをほめられて、不愉快に感じる人はまずいません。また、**「センスがいい」というほめ言葉は、頻繁に言われることもないので、相手の記憶に残ります。**

言ってくれた人に好感を持つ可能性が高いのです。

ファッション・小物・持ち物以外の、たとえば、音楽・読む本・インテリア・アートなどの趣味にも使えます。

また、作ってくれた書類のレイアウトなどに使うのもいいですね。

雰囲気がある

——聞いた側はなんだかいい気分に

「センスがいい」と同様に、とらえどころはないですが、相手が勝手にイメージしてくれるほめ言葉も効果があります。

その代表格が、「雰囲気がある」という言葉です。

うまく言葉では表現できないけれど、個性的なファッションをしていたり、人とは違うミステリアスな魅力を持っているような人に使えます。

「雰囲気がある」という言葉は、どのようにでも解釈できる「雰囲気のある」フレーズです。**相手は、自分なりの解釈で変換して「ほめ言葉」として受け取ってくれる**でしょう。

ほかにも「透明感がある」「清潔感がある」というふうに、「○○感」という表現も、人をほめるときには便利な言葉です。

・透明感……本来は「すき通った感じ」という意味です。人に使われ出したのは、くすみや濁《にご》りがないキレイな肌を表わす美容用語として使われ出してからです。そこから派生して、全体的にそのようなイメージを感じさせる人に使います。一般的には女性に使われることが多いフレーズです。

・清潔感……身だしなみに気をつけていて、スッキリした印象のことを指します。実際に清潔かどうかよりも、パッと見たイメージのほうが重要です。どちらかというと、男性に使われることが多いフレーズです。

いずれの言葉も明確な定義はありません。

どのようにでも解釈できる言葉です。

言われてイヤな気がする人は少ないでしょう。つまり、口に出すと好かれやすいということです。

将来性がある

——今はイマイチでも……


多くの人は、部下や後輩に成長してほしいと思っています。

そして、できることなら、彼らから慕《した》われたいと思っているでしょう。

そのためには、相手をほめるのが一番です。

ほめられることによって、言われた本人が自信を得たり、能力が発揮されることもあります。期待をかけられた人は、その通りの結果を出すことが多いという、心理学でいう「ピグマリオン効果」が期待できるからです。

とはいえ、**現時点では誇れるような実績がなかったり、自信を持っていなかったりする相手**に対しては、どのようにほめればいいでしょうか？

たとえば、次のように、**相手の将来性について言及するのがおすすめです。**


「将来性がある」

「〇年後が楽しみ」
「大物になりそう」

根拠がなくてもいいのです。人はいつ化《ば》けるかわかりません。今は戦力になっていなかったとしても、それだけでその人を認めないのは傲慢《ごうまん》というものです。ただしこのとき、口先だけで、思ってもいないことを言っても効果は薄く、心の底から本気で信じていることが重要です。

また、同じ年ごろだった過去の自分と比べてほめる、という方法もあります。たとえば、次のように。

「自分が新人のころはそんなふうにはできなかった」

このようなフレーズは直接言うのもいいですが、誰か第三者に向かって言うのも効果的です。自然と本人の耳に届くでしょう。

実は○○なんですね
――「うわぁ、知ってくれてたんだ!」

容姿や能力など、**何かに秀《ひい》でている人に対しては、わかりやすい長所をほめてもあまり効果は見こめません。**

たとえば、明らかに容姿端麗《たんれい》な人に向けて容姿のことをほめても、あまり心に響かないでしょう。仕事ができる人に向けて仕事ができることをほめても、印象に残らないことが多いのと同じです。

本人も自覚しているし、言われ慣れているからです。

人は他人から認められることに関して、「自己確認」と「自己拡大」の欲求があるといわれています。

・「自己確認」……自分がよく知っている部分を他人に認められたいという欲求
・「自己拡大」……今まで人から言われたことがないような部分を認められたいという欲求

「自己確認」もうれしいのはうれしいのですが、誰からもわかるくらい秀でている人は、そればかり言われるので、内心うんざりしていることもあるのです。

一方で、「自己拡大」は、新たな自分の一面に気づくことなので、言われた本人はうれしい。言ってくれた相手にも好感を持ちます。

この人は、私のことをきちんと見てくれていると思うからです。

そのためには、**本人がふだんあまりほめられないようなポイントを探してほめてみましょう。**

容姿端麗な人に向けては、その能力や内面をほめる。

仕事ができる人に向けては、ビジュアルや持ち物をほめる。

また、「実は○○なんですね」と、見た目や第一印象と、逆の面に気づいてほめるという方法もあります。たとえば、次のように。

「佐々木さんは、いつもクールで近寄りがたい印象でしたけど、実は気さくで温かい人なんですね」

そこがいいところ

——認め方にもいろいろある

前項でお話しした「自己拡大」につながるほめ方をする際に、「リフレーミング」という考え方が参考になります。「リフレーミング」とは、ある枠組み（フレーム）でとらえられている物事を、別の枠組みで見直すことです。

一般的には短所に思えることも、見方を変えれば長所になることがあります。

・飽きっぽい↓好奇心が旺盛である
・頑固《がんこ》↓意志が強い
・消極的↓思慮深い
・愛想がない↓自分を持っている
・人の顔色をうかがう↓空気を読める

このように「リフレーミング」して、相手の短所を長所に置きかえて伝えると、相手の「自己拡大」につながる可能性があります。

また、**相手が自ら自分の短所について言及したときには、「そこがいいところ」「そこが好き」という言葉で、強く肯定してみてはどうでしょう。**

たとえば、「私、会議ではっきりものを言いすぎちゃうんだよね」と相手が言ったとしたら、次のような言い方があります。

「そこが池田さんのいいところじゃないですか」
「たしかにそうかもしれないけど、でもそんな清水さんのことが好きですよ」

また、他人から見過ごされやすい部分をほめるのも効果的です。

「遅刻をしない」「締め切りを守る」「整理整頓ができている」などのように、目立たないけれど、仕事・学業などでうまくやるためには欠かせない美点に目を向けて、ほめるのです。

なぜか〇〇ですね

――ほとんど「アイラブユー」の世界？

ほめ言葉をいろいろと見てきました。

ほめるべき部分をきちんとほめる言葉もいいのですが、**実は最強なのは「理由なきほめ言葉」**です。

「よくわからないけど」「どこがってわけじゃないけど」「とくに理由はないけど」といった枕詞《まくらことば》をつけてから、相手をほめるのです。

たとえば、次の二つのフレーズを比べてみてください。

①「和田さんって、〇〇なところが魅力ありますよね」

②「和田さんって、よくわからないけど魅力ありますよね」

①は、お世辞や下心がみえみえな感じがしてしまいます。それに比べると②は、それがかなり薄れますよね。

さらに、ほめ言葉自体も、フワッとしたものにしても大丈夫です。

「一緒にいるとなぜか落ち着く」
「話しているとなぜか楽しい」
「なぜか時がたつのが早い」
「不思議と元気が出る」
「不思議と安心感がある」

この二つを組み合わせると、何の理由もないのにほめることになります。つまり、**相手の絶対的な存在価値を認めていることになります。**

ただし、これはほとんど「アイラブユー」と近い意味になるので、まったく気がない異性に言うのは危険です。

いい質問ですね

――ジャーナリストでなくても使い道がたくさん

質問できるのは、その人の大きな能力です。簡単そうで実はむずかしい。

とくに、大勢の前で手をあげて質問するのは勇気がいる。そうやって質問してくれた相手には、まず、その質問してくれたことへの勇気を認めたいものです。

たとえば、「いい質問ですね」というふうに。

相手は、質問が認められただけでなく、自分の価値も認められた気になります。

つまり、承認欲求が満たされるのです。

「いい質問ですね」といえば、ジャーナリストの池上彰《あきら》さんがよく使うことで有名ですね。

池上さんが「いい質問ですね」と言うときは、二つのケースがあるそうです。

一つは、想定していたニュース解説の流れが、誰かのアドリブの質問のせいで横道にそれたとき、話の流れを元に戻してくれるような質問をしてくれたことに、ほっとして出てくる言葉として。

もう一つは、その質問によって、自分自身がハッとさせられるような新しい発見があったとき、うれしくて思わず出てくる言葉として。

「いい質問ですね」が流行語になったことから、使うのが恥ずかしく感じる人もいるでしょう。でも、**必ずしも「いい質問」というふうに、「いい」をつける必要はありません。**

「鋭い質問ですね」
「本質的な質問ですね」
「それは考えつかなかった質問ですね」

その質問を認め、相手の承認欲求を満たす言葉であれば何でもかまいません。

コラム2

和語、漢語、外来語……の使い分けでもっと深い表現を

日本語には、ほかの言語にはない大きな特徴があります。

まず、「漢字」「ひらがな」「カタカナ」という3種類の表記文字があることがあげられます（アルファベットを使う「ローマ字」を加えると4種類）。さらに、漢字の読み方を指定する「フリガナ」という独特の表記法もあります。

そもそも、日本語はその出自《しゅつじ》により、**「和語《わご》」「漢語」「外来語」**の三つの語種に分かれます（「混種語《こんしゅご》」も入れると4種類）。それぞれ次に簡単にまとめます。

・和語……もともと日本にあった言葉のこと。「大和言葉《やまとことば》」ともいわれる。漢字で書かれてあっても「訓読《くんよ》み」で読むものは「和語」であることが多い。

（名詞）やま、かわ、うみ、さくら、いえ

（動詞）みる、きく、はなす、たべる、ねる

（形容詞）やさしい、たのしい、おいしい
その他、助詞や助動詞など多数。
・漢語……漢字で書かれ、音読みで読むもの。もともと古代中国から伝わったものが多いが、「和製漢語」という日本で作られた漢語もある。音読みには、中国から伝わった時代によって呉音《ごおん》・漢音《かんおん》・唐音《とうおん》がある。たとえば、「行」という漢字は、呉音では「ギョウ」、漢音では「コウ」、唐音では「アン」と読む。漢音が一般的で、呉音は仏教用語などに多く、唐音で読む漢字は少数。
（呉音）行事《ギョウジ》、利益《リヤク》、変化《ヘンゲ》、兄弟《キョウダイ》
（漢音）行動《コウドウ》、利益《リエキ》、変化《ヘンカ》、師弟《シテイ》
（唐音）行燈《アンドン》、椅子《イス》、西瓜《スイカ》
（和製漢語）科学、哲学、文学、郵便、電話、野球、文化、文明、時間、空間、法律、経済、写真、警察、国家など

・外来語……漢語以外の、外国からきた言葉のこと。室町時代に伝わったポルトガル語、江戸時代に伝わったオランダ語、明治時代以降に伝わった英語・ドイツ語・フランス語・イタリア語・ロシア語など、さまざまな種類がある。また、正確には外来語とはいえないが、日本で作られた和製英語もこのカテゴリーに入る。

以下に、それぞれの言語由来の外来語の例をあげておく。

(ポルトガル語)カステラ、パン、ボタン、タバコ、カボチャ、カルタ
(オランダ語)ガス、ガラス、アルコール、エキス、レンズ、シロップ、ゴム
(英語)インターネット、スポーツ、ダイエット、アクセス、カード、ヒーター、エネルギー、ビタミン
(ドイツ語)アレルギー、カプセル、ホルモン、ワクチン、カリスマ、カルテ
(フランス語)アトリエ、クレヨン、ズボン、アンコール、デッサン、アンケート、オブジェ、シュール、バレエ
(イタリア語)テンポ、パスタ、ピザ、アカペラ、トリオ

（ロシア語）イクラ、カンパ、インテリ、ノルマ、コンビナート
（ラテン語）エゴ、ニヒル、ウイルス、ペルソナ、エトセトラ
（和製英語）サラリーマン、ペットボトル、フロント、バイキング

※外来語は、もともとの言語での意味とは違って使われている場合もあります。たとえば、「カルテ」は日本では病院での「診察記録」という意味で使われていますが、もともとのドイツ語では英語の「カード」とほぼ同じ意味で、医療用語ではありません。「カルタ」も同様に、ポルトガル語では「カード」とほぼ同じ意味で、日本で使われている「カルタ」のようなカードゲームだけを指す言葉ではありません。ちなみに「カード」「カルテ」「カルタ」は、すべてラテン語で「紙」を意味する〝Charta〟が由来です。

・混種語……前述した「和語」「漢語」「外来語」が混在した言葉のことをいう。
（漢語＋外来語）カップ麵《めん》、迷惑メール、洗顔クリーム
（和語＋外来語）粉ミルク、輪ゴム、生ビール
（和語＋漢語）ゆとり教育、背番号

（三種混合）駅前ビル、折れ線グラフ

このように、日本語には、さまざまな出自の言葉があります。

ほぼ同じ意味であっても、「お昼ごはん」「昼食」「ランチ」、「くだもの」「果《か》実《じつ》」「フルーツ」と呼び分けることができます。「幸せ」「幸福」「ハッピー」など、似ていても語種によりニュアンスが違うでしょう。

また、同じ単語であっても、漢字を使うのと、ひらがなやカタカナを使うのでは、ニュアンスが異なります。

日本語は、とくに表記に関して、複雑で非常に面倒な言語であるともいえるし、いろいろな深い表現ができる類《たぐい》まれなる言語ともいえるのです。

三章

〝言いにくいこと〟でも
やわらかく言えるからいい

折入って

――信頼、尊敬しているからこそ

職場の上司などと距離を縮めるために、有効な方法があります。

それは、何か困りごとを相談すること。

そのような場面で使えるのが、「折入《おりい》って」という日本語です。

「折入ってご相談があるのですが」「折入ってお願いごとがあるのですが」などというふうに、相談することの許可やアポイントメントを取るときに使います。

では、「折入って」とは、どういう意味でしょうか？

もともとは「折入る」という動詞が由来で、「折り曲げて中に入れる」というのが原意《げんい》です。そして和歌を作る際に、「特定の言葉や事柄を歌の中に詠《よ》みこむ」という用法で使われるようになりました。

そこから、「改まって」「特別な思いをこめて」といったふうに、特定の相手に対し、特別に物事を頼みこむ際に言いそえるフレーズになりました。

その中には、「ふたりきり」で「今まで頼んでなかったような相談やお願いをする」というニュアンスが含まれています。

職場で上司などに向けて使う場合は、一般的には仕事と直接関係ない、たとえば「結婚」「退職」「身内の病気や不幸」などの相談や報告が多いでしょう。

しかし、そのような話題以外で使ってはいけないという決まりはありません。

「折入って」には、「あなたのことを信頼して相談したい」というニュアンスがあります。つまり、相手を尊敬しているという意味合いも含まれているのです。

ほかの人がいる所では話しにくい内容のときに使うといいでしょう。

ただし、この言葉で相談を持ちかけられた側は、「いったい何の相談だろう」と身がまえます。あまり軽々しい相談や依頼で使うと、「なんだそんなことか」と思われてしまうので、避けたほうが無難です。

逆に、「折入ってお願いがあります」と言われたら、それだけだと内容がわからないので、「改まってどうしたんですか?」「私でよければおうかがいします」など、当たり障《さわ》りのない返事をするのが一般的です。

惜しむらくは

――モチベーションを保たせながら指摘できる

「惜しむらくは」は、「惜しいこと」を指摘する前につける言葉です。

あなたが、仕事で部下や同僚に、何かの作業を依頼したとします。

100点満点で言うことがなければ、手放しでほめたたえるでしょう。

しかし現実においては、そんなことは稀《まれ》です。

どうしても、要望を伝え、修正を依頼しなければならない局面も多い。

そんなときこそ、「惜しむらくは」の出番です。

まず、よかった点を指摘してほめる。

そのあとに「惜しむらくは」でつないで、「惜しいこと」「残念なこと」「ミスしていること」を伝えるのです。

たとえば、次のように。

「企画書確認しました。全体の構成はすばらしい！　惜しむらくは、各項目のタイトルがやや弱いかな。そこだけもう一度考えてもらえますか？」
「頼んでおいたデータの整理ありがとう。惜しむらくは、一部、最新のデータが使われていないところがありました。そこだけ修正しておいてくれますか？」

このように、**「惜しむらくは」という言葉は、その前にポジティブな要素を指摘し、そこをほめたたえた上で、「惜しい」部分を指摘するときに使うと効果的です。**

「惜しむらくは」を使うことで、あと一歩で合格基準に達する、というニュアンスが含まれるようになります。

そのため、ネガティブな部分の指摘を受けても、受け手はそこまでダメージを受けません。

相手のやる気をそぐこともない。

言いにくいことを指摘しながら、相手に嫌われにくい表現として便利です。

心残り

――わだかまりを残さずに、言いたいことを言っておく

心残りとは、「あとになっても気になっている」という意味です。

よりシンプルな言葉で表現すると、「未練・不満・残念な部分がある」という意味になります。本当はやりたかったのに、何かの理由でできなかったことに対する残念な気持ちを表現する言葉です。

言葉通り、心がその場所に残ったままで、もやもやしているという状態ですね。

日常生活においても、ビジネスの場においても、何かしらの「未練」「不満」「残念」な出来事は、しばしば発生します。相手の都合の場合もあれば、自分の力不足が原因の場合もあるでしょう。

そんなとき、**「不満でした」「残念でした」というふうに相手に伝えると、わだかまりが残りやすい。**

それが「心残り」という表現を使うことで、やわらぎます。

「不満でした」「残念でした」という言葉には、相手の非を責めるニュアンスがあるのに対して、「心残り」は、話し手の心の内を表現する言葉だからです。

また、似た意味を持つ「後悔」という言葉もあります。あとから悔やんだり、反省したりする様子を表現するときに使う言葉なので、こちらを使うと自分が失敗したと思っているニュアンスが強くなってしまいます。

すでに終わった出来事に対しては、できるだけネガティブなことは言いたくないものです。とはいえ、**やはり心の中にある不本意な気持ちを言っておきたいときもあります**。言わないままにしておくと、ストレスもたまります。

そんなときは「心残り」という言葉が使えます。たとえば、次のように。

「あのプロジェクトに最後までかかわれなかったことは、非常に心残りです」

こう書くことで、本当はあのプロジェクトに最後までかかわりたかったけれど、何らかの理由で外されてしまったことへの未練をアピールすることができます。

「わかってはいるけれど……」

無理を承知で

仕事で、社外の人や取引先などに、無理なお願いをしなければならないときがあります。たとえば、次のようなケースです。

・スケジュールがタイトである
・相場に比べると払える金額が安い
・普通であれば、そんな仕事をやってくれる相手ではない

とくに親しい関係でない相手に、このような物事を頼むときには、引き受けてもらえるかどうかと気をもむもの。

また、社内外の相手に、たとえ小さなお願いであっても、相手に負担をかける厄介《やっかい》な依頼をしなければならないときがあります。

それらのときに使えるのが、「無理を承知で」という言葉です。

「無理」にはいくつかの意味がありますが、ここでは「実現するのがむずかしいこと」「言いにくいこと」を意味します。「承知」は「知っている」という意味。すなわち、**「実現するのがむずかしいことは、こちらも十分にわかっているけれど、それでもあなたに頼みたい」**という気持ちを表現できる言葉なのです。

「無理を承知でお願いしますが、何とか今日中にご対応いただけませんでしょうか？」

こう言われた相手は、「無理です」とは言いにくくなります。何しろ「無理は承知」なのですから。

メールで依頼するときなどは、相手の状況がわからないこともあり、より丁寧に「お忙しいところ恐縮ですが」「ご多忙とは存じますが」などと前置きを書いた上で、「無理を承知」なお願いをしたほうがいいでしょう。

これに懲りず

——懲りているのはこちらか先方かを間違えない

相手の期待や誘いなどに、どうしても応えられないときがあります。

断ったことで相手から嫌われるのではないかと心配なとき、相手との関係を良好に保つために有効な言葉が「これに懲《こ》りず」です。

「相手のことを嫌っているから断ったのではない」ことを示すことができます。

たとえば、食事会に誘われて行けなかったとき、次のように使えます。

「ごめんなさい。勝手ながら今回は諸事情があり、参加できないんです。これに懲りずに、ぜひまた誘ってくださいね」

ただし、注意するべきポイントがあります。職場やビジネスシーンで使い方を間違えてしまうと、相手に失礼になってしまうことがあるからです。

「懲りる」の意味は「失敗したので、もう二度とやるまいと思うこと」です。

そして、「これに懲りず」の「これ」は「その失敗経験」を指しています。

つまり、「これに懲りず」というのは、「今回は失敗したけれど、これにめげることなく」という意味なのです。

たとえば、「これに懲りず、次回も誘ってください」と言うと、失敗したのは誘った相手になってしまいます。

そのため、失敗したのは自分だと明確にして使うことが重要です。

① 必ずはじめに謝罪の言葉を入れる
② 「勝手ではありますが」や「勝手ながら」など、失敗したのはあくまでも自分であるということをつけ加える

「誘いに応じられなかったのは、あなたのせいではありません」という気持ちを伝えておけば、良好な人間関係が壊れることはまずないでしょう。

お気持ちだけ

――「やんわり」といきたいときに

こちらが何か提供したことに対して、相手のお礼の申し出が過剰《かじょう》だと感じるときがあります。

また、こちらから何かをお願いしたけれど、そこまでやってもらうのは申し訳ないという気持ちになることがあります。

相手がよかれと思ってやってくれようとすることほど、断りづらいものです。

とはいえ、「お断りします」「遠慮しておきます」「大変そうなんで、やっぱり大丈夫です」というような言葉を使って断ったら、相手は「せっかく好意でやろうとしたのに」とイヤな感情を持つでしょう。

そんなときに使える言葉が、「お気持ちだけ」です。

「お気持ちだけ、いただいておきます」

「お気持ちだけで十分です」

このように言えば、相手を傷つけることを最小限にとどめながらも、やんわりとお断りできます。

ここでいう「お気持ち」は、「相手が自分に対して寄せてくれた好意」のことを指します。

「お気持ちだけ、いただいておきます」「お気持ちだけで十分です」と言うことは、実際には受け取らないけれど、**「その好意だけはしっかりと受け止めて感謝しています」というアピールにつながる**のです。

ちなみに英語には、「お気持ちだけ」という表現はなく、「No, thank you」とはっきりと断った上で、「I appreciate your kindness」とつけ加えます。「いりません。でも、あなたの親切には感謝します」という意味です。

そのまま訳すと、ちょっと上から目線に感じるのは、文化の違いでしょうか。

あいにく

――「私のせいではないけれど」と言いながら……

相手の提案や誘いに対して、いつも期待にそえるとはかぎりません。

物理的にそのスケジュールが空いていないときもあるでしょう。

ただ、それをストレートに断ると、関係が悪化するのは目に見えています。

そんなときに、クッションの役割を果たす枕詞として使えるのが「あいにく」です。

「あいにく、その日は都合がつきません」と言えば、**「私としては残念な気持ちでいっぱいだけど、何かの理由でその日は行けない」**という意味になります。

漢字で書くと「生憎」となります。「生」は当て字です。もともとは「あやにくし」の語幹《ごかん》の「あやにく」から来た言葉です。「あや」は、「ああ」という嘆き悲しむ感嘆語で、「にく」は「憎し」から来ています。

要するに、「ああ、憎たらしい!」といった感情を露《あら》わにする意味でした。それが、音が徐々に変化して「あいにく」となり、現在では「思い通りにいかないこの憎らしい状況を残念に思う」という意味として使われるようになりました。

気をつけたいのは、自分の都合で相手に迷惑をかけたときに使うと、失礼にあたるということです。

たとえば、仕事で、締め切りに遅れていることを指摘されたとき、「あいにく、その案件はまだできていません」というような使い方です。自分の落ち度で遅れているのに、「あいにく」を使うのはヘンですよね。

では、初対面の名刺交換のときによく耳にする、「あいにく、名刺を切らしていまして」という表現はどうでしょう？

たまたま名刺を持ってくるのを忘れた。もともと渡す気がなかった。どちらにしても、相手が名刺を渡してくれているのに、こちらが渡せない（渡さない）場面で、「こちらも名刺を渡せなくて残念である」という気持ちを伝えています。

つまり、「あいにく」は、相手が残念に思うことに、「私のせいではないけれど、残念に思う気持ちは私も同じです」ということを伝える便利な表現なのです。

お言葉を返すようですが
――ワンクッションはさむと角が立たない

物語のヒーローやヒロインは、自分の意見や信念を曲げないことが多いですね。

ただ、私たちの日常生活においては、そうしたくてもなかなかできないもの。

自分の信念を押し通すと摩擦《まさつ》が生じて、相手と敵対関係になってしまうこともあります。相手から好かれたいと思っていると、腑《ふ》に落ちていないときでも「はい、そうですね」と、納得しているふりをすることもあるでしょう。

とはいえ、**自分の意見を言わなければならない場面も多々あります。**

そもそも、なにごとも「はい、はい」と同意してばかりの人間はつまらない。

意見をきちんとぶつけ合うことで、より大きな成果が生まれることもあります。

そんなときに、クッションとして使えるのが、「お言葉を返すようですが」という言葉です。

テレビドラマなどでも、上司に盾突《たてつ》く部下が使う言葉として耳にしますね。

その影響からか、どちらかというとケンカを売るような言葉として感じる方が多いかもしれませんが、必ずしもそうとはかぎりません。

「言葉を返す」には本来、「口答えをする」や「言い返す」という意味があるので、強い否定の言葉ということは間違いありません。ただ、「言葉」に尊敬を表わす接頭語の「お」がついているため、相手への敬意も含まれています。

上手に使えば、**「あなたに敵対する気持ちはないのだけれど、どうしても伝えたい」**ということを、アピールすることができます。

そのためにも、目上の相手に使う場合には、より相手への敬意を入れることをおすすめします。

たとえば、「お言葉を返すようで恐縮ですが」や、「あえてお言葉を返させていただくと」などのように。

たまには、これらのフレーズをクッションにして、自分の意見や信念を主張してみてはどうでしょうか？　ヒーローやヒロインまではなれなくても、ただのつまらない人間ではないとわかってもらえて、より好かれるかもしれません。

思案にくれる

——うっかり「途方にくれる」と間違えては大変

相手から答えを求められているけれど、すぐに決断できない場面があります。そんなときに使える言葉が「思案にくれる」です。

「思案」とは、「考えを巡らすこと」「物思い」「心配」といった意味です。「くれる」は「暮れる」で、行く手が暗くて見えず、困り果てているさまを表わしています。

そのことから、「答えが定まらず、どうすべきなのか困っている」という意味となります。

相手から求められている答えがまだ出ていなかったとしても、今も懸命に考えているという、努力をアピールする言葉になるのです。

たとえば、人事異動で転勤の打診があったとします。今後の出世を考えれば受けたほうがいい場合であっても、家族などのことを考えると、簡単には決断できない――。そんなとき、上司からの「あの件、考えてくれた?」というメールに対して、次のように返事を書くのはどうでしょう?

「せっかくの申し出なので、すぐに受けたい気持ちはやまやまです。ただ、家族のことを考えると、どうすればいいか思案にくれています」

時間稼《かせ》ぎをできるかもしれないし、何かいい解決策を会社が考えてくれるかもしれません。

また、似た意味を持つ言葉に「途方《とほう》にくれる」があります。

こちらは、「方法や手段が尽きて、どうしてよいかわからなくなっている」という意味です。前述の文章で「途方にくれる」を使うとどうでしょう? **答えが手詰《てづ》まりとなり、考えることすらあきらめてポカーンとしている様子**が浮かびます。それでは、上司からの信頼も失ってしまうかもしれません。

人生の選択が重要なのと同じように、言葉の選択も重要ですね。

お役に立てずに

――「残念感」が強調できるメリット

親しい人から何か依頼があったときでも、断らざるを得ないことがあります。

また、やろうとしてみたけれど、うまくいかないこともあるでしょう。

そんなときに使える言葉が、「お役に立てず」です。

「役」には「任務・役目・仕事」などの意味があります。「立てず」は「立つ」の否定形で、「その場所に身を置くことができない」という意味です。

つまり、「相手から要求された任務に応じられない」ということになります。


「お役に立てず、申し訳ございません」

「お役に立てず残念です」


結局は断ることになるのですが、「できません」などのストレートな言葉で断ってしまうと角《かど》が立ちます。そこで、**「本来ならあなたの力になってあげたかったのに、できずに残念」という誠意を伝える言葉が「お役に立てず」**なのです。

似た意味の表現には、「お力になれず」「ご要望にそえず」「ご期待にそえず」などがあります。

「お力になれず」も、断るときに使うフレーズですが、「相手の要望に応えるだけの知識や技能などがない」という意味合いがこめられています。

また、「ご要望にそえず」「ご期待にそえず」は、相手の「要望」や「期待」通りにふるまえないときに使う言葉です。

いずれも「お役に立てず」と同様に、「お力になれず申し訳ありません」「ご要望にそえず残念です」「ご期待にそえずゴメンナサイ」などのように、謝罪の言葉とセットで使うのが一般的です。

一度受けてしまってから、結局はできませんでしたとなるよりも、断るときは最初からきちんと断るのがいい。

そのほうが長い目で見ると、まわりから信用されることになるからです。

いささか

――「大いに」と言いたいところをやわらげられる

なんとなく古めかしい雰囲気を持つ言葉です。それもそのはず。万葉仮名《まんようがな》を使っていたころからある古語で、その意味は昔も今もほとんど変化していない、生きた化石のような言葉なのです。

日常会話で使うことは滅多にないかもしれません。ただビジネスシーンなどであえて使うとアクセントになり、印象づける言葉になります。

漢字では「些か」と書きます（「聊か」と書く場合も）。「些」という漢字は、「些細《ささい》な」と使われるように、「ほんの少しの」という意味です。ですから「いささか」も、「ほんの少し」というのが本来の意味になります。しかし、**実際に使う場合は、本当は「少しではない」「重大だ」と思っていることを婉曲的《えんきょくてき》に伝える**ことが少なくありません。たとえば、次のように。

「御社《おんしゃ》のご提案は、いささか物足りないという印象を抱いています」

「会議での森さんの発言は、いささか問題があるのではないでしょうか？」

「今日の部長は、いささか不機嫌だったね」


いずれも、発言者は、実際は「ほんの少し」とは思っておらず、「大いに」と考えている可能性が高いかもしれません。しかし、**そのまま口に出すと角が立つので、「いささか」をあえて使っているのです。**

否定形で使うと、「少しも」「まったく」という意味になります。

「あなたのミスが原因だなんて、いささかも思っていません」


この場合は、本当に少しも思っていないときもあるでしょう。ただ、「いささか」という言葉を使うと、前記の用法の影響で「本当はそうだと思っているけど」という意味に伝わる危険性があります。使わないほうが無難かもしれません。

ゆゆしき

――ちょっとクギをさしたいときに便利

古語の「ゆゆし」が由来の言葉です。

本来「ゆゆし」の「ゆ」は、「斎」（神聖で畏《おそ》れるべきもの）であり、「忌」（不吉で畏れるべきもの）でもありました。その「ゆ」を重ねた言葉なので、「軽々しく扱って放っておくと大変なことになる」という意味になります。

語源から考えると、「大変なこと」は、必ずしも「悪いこと」だけではありません。「とてもいいこと」であっても不思議ではないのです。

しかし、現代において「ゆゆしき」を使うときは、ほぼ悪い意味で使います。

漢字では「由々しき」と書きます。もともとは「忌々しき」と表記されていましたが、「忌」は常用漢字表では「ゆ」と読まないので、代わりに「由」が使われるようになりました。公用文で使えるのは「由々しき」だけです。

このように、本来は、本当に重大な事態になりそうなときに使うべき「ゆゆしき」という言葉ですが、昨今は形式的に使うことが多いようです。

「官僚が業者から接待《せったい》を受けるとは、由々しき問題だ」

「日本のメーカーが、電気自動車への対応が遅れているのは、由々しき状況だ」

評論家や、ワイドショーのコメンテーターが使いそうな表現ですよね。

本来は「大変な事態」なのですが、古い表現なこともあり、どこか客観的というか、人ごとだと感じられるニュアンスが出てしまいます。

このニュアンスを利用して、**感情的に怒るほどのことではないけど、本当は「重大である」と感じていることを指摘するときに使えます。**

たとえば、相手の会社の対応が遅かったことが原因で、商品の納期が一カ月遅れたとします。しかし、余裕をみていたので実質的な被害はない。でもここは、少しクギをさしておかなければならない。そんなときに、真剣な表情で「それはゆゆしき事態ですね」と言うのです。

おこがましい

――こう謙遜されると文句も言いにくい

改まった会議の場で、意見を言うことは勇気がいります。とくに、まわりに目上の人が多いとなおさらです。そんなとき、クッションになり、**口火《くちび》を切るきっかけになるのが「おこがましい」**という言葉です。たとえば、次のように使います。

「私のような者が申し上げるのもおこがましいですが」
「諸先輩方を差し置いておこがましいのですが」

古語では「をこがまし」という語形でした。「ばかげている」「愚《おろ》かな」という意味がある「をこ」に、接尾語で「らしい」という状態を表わす「がまし」がついたものです。もともとは「ばかばかしい」「みっともない」という意味でしたが、時代をへた現代では「身のほどをわきまえない」「生意気だ」という意味で使われています。

「おこがましい」という単語は、おもに自分のふるまい・状況に対して使用します。自分を謙遜《けんそん》する言葉なので、何か意見を言うときはもちろん、お願いや提案、自慢話まで、クッションの役割を果たす表現として使えます。

逆に、上司が部下に対して、「私が言うのもおこがましいんだけど、きちんと報告してくれないかな」のように使うと違和感が生まれます。

また、**面接や営業などの場面で、自己アピールや商品のＰＲをするときにも使えます。**たとえば、次のように。

「自分で言うのもおこがましいですが、根性《こんじょう》だけは誰にも負けません」
「私が言うのもおこがましいですが、弊社の製品は業界一といわれています」

この用法は、次項の「さしでがましい」では使いません。

さしでがましい

——出しゃばったように思われない

前項の「おこがましい」と似た言葉ですが、ニュアンスが少し変わります。たとえば、次の二つのフレーズを比べてみてください。

①「おこがましいですが、意見を言わせていただいてもいいでしょうか?」
②「さしでがましいですが、意見を言わせていただいてもいいでしょうか?」

①は、「自分は目下なのに身のほどをわきまえず」というニュアンスですが、②は、「自分が直接の関係者でないのに出しゃばって」というニュアンスになります。

漢字で書くと、「差し出がましい」となります。「差し出づ」は、「出過ぎたことをする」の意味です。そこに「がましい」という「○○らしい、○○みたい」

の意味を表わす言葉を合わせたもので、言葉自体は、「出しゃばってお節介《せっかい》なことをしているかも」というネガティブな表現になります。

このことから「さしでがましいようですが」と前置きすると、自分としては、**「部外者なのに、出しゃばったことをしていることは重々承知している」**というニュアンスが出ます。**そのあとに多少キツいことを言っても、緩和される**のです。

また、何か出しゃばったことをしてしまったあとの、謝罪の言葉として使うこともできます。こちらは、「おこがましい」にはない使用例です。

たとえば、社外の人間なのに会議の流れと反対の意見を言ってしまったあとに、次のように使えます。

「さしでがましい真似《まね》をして、誠に申し訳ありませんでした」

たとえストレートなもの言いで、**空気を読まない発言をしたとしても、「身のほどをきちんとわきまえている」**という印象をもたせることができます。

考えさせてください

――「ノー」ではないが「イエス」でもないときに？

相手から何か依頼や提案をされて、すぐに答えを出せないときがあります。

また、**本心では「ノー」と言いたいのに、その場で即答すると雰囲気が悪くなることもあります**。

そんなときに使えるのが、「考えさせてください」です。

「即答はできないので、少し考えさせてください」

とりあえず一歩引いて、お互いの熱を冷ますイメージです。相手が大人であれば、あまり脈がないのだなと判断してくれます。とくに恋愛などの場面では。

では、「考えさせてください」がすべて「ノー」を意味するかというと、そうともかぎりません。

すぐに「イエス」と言うと、軽々しく思われかねないからです。たしかに、よく考えた上で言ってもらえる「イエス」には、より価値があるような気もします。

ビジネスシーンで、会社としての立場で答える場合は、「考えさせてください」ではなく、「検討させてください」を使います。

「一度持ち帰りますので、社内で検討させてください」

こちらの場合は、本当に自分ひとりでは決められない場合もあるので、「イエス」「ノー」の確率は半々でしょう。

どちらにしても、そのように返事したからには、どこかのタイミングで「考えた上での結論」を、相手にきちんと伝える必要があります。

そのままにしておくと、相手は宙ぶらりんな状態になって、もやもやしたままです。ですから、できるだけ時間を置かずに伝えるのが礼儀です。

お恥ずかしいかぎり／恥ずかしながら

――「謝罪&恐縮」を一度に伝えられる

誰かからクレームを受けた。

何かの初歩的な間違いを指摘された。

謝罪の言葉はいろいろありますが、謝ったあとにさらに恐縮している様子を伝えられるのが、「お恥ずかしいかぎり」という言葉です。

たとえば、次のように。


「本当に申し訳ありません。こんな初歩的なミスをおかすとは、本当にお恥ずかしいかぎりです」

この場合の「恥ずかしい」とは、「自分の欠点・過失を自覚して、きまり悪い」という意味です。この「恥ずかしい」に丁寧語の「お」をつけることで、自分にではなく、相手に対して謙遜する感情を示しています。また「○○のかぎり」は「この上なく」や「これ以上ないぐらい」という意味です。

つまり、「お恥ずかしいかぎりです」は、**自らの恥ずべき行為を最大限に認めながら相手を高めるという、日本語ならではの技**がこめられています。

同じような場合に使える、「恥ずかしながら」という表現もあります。

たとえば、次のように。

「恥ずかしながら、わが社のチェック体制が甘かったことで生じたミスです」

この場合、**「お恥ずかしながら」とするのは間違い**です。

なぜなら、「恥ずかしい思い」をしているのは自分なので、これを丁寧に言う必要はないからです。

日本語のこういう部分はむずかしいですね。

思いのほか

——言い訳する言葉の前につけておく

あなたが何かの仕事を頼まれた。依頼を受けたときに、簡単にできるだろうと思ったのに、いざやってみると手こずり、時間がかかってしまった。締め切りに間に合いそうもない……。

あなたが取引先の会社に向かっている。しかし電車の接続が悪く、このままでは約束の時間に少し遅れてしまいそうだ……。

そんなとき、**言い訳の前に使えるのが「思いのほか」**という言葉です。

漢字で書くと「思いの外」。文字通り、「思っていた範囲の外」という意味です。「意外に」「予想外に」「想像していた以上に」などと近いのですが、どことなくやわらかく感じる表現なので重宝します。たとえば、次のように使います。

「申し訳ありませんが、思いのほか時間がかかっておりまして、締め切りを明日いっぱいまで延《の》ばしていただけませんでしょうか？」
「思いのほか電車の接続が悪く、お約束の時間から10分程度遅れてしまいそうです。大変申し訳ありません」

そして、遅れるときだけでなく、早すぎるときにも使えます。

「思いのほか早く仕上がったので、締め切り前ですが送らせていただきます」
「思いのほか早く到着してしまったのですが、これからおうかがいしてもよろしいでしょうか？」

遅れるのは論外ですが、早すぎるのも、時と場合によっては迷惑になることもあります。とくにビジネスシーンでは、きちんと約束した時間を守ることが原則。できるだけ「思いのほか」がないように進めたいものです。

お聞き及び／お耳に入れておきたい

――「前置き」があると心の準備ができる

ネガティブな情報を、仕事相手などに伝えなければならないときがあります。何の前置きもなく伝えると、相手が気分を害する可能性が高い。相手には、何かよくない話が始まるかもしれないという、心の準備が必要です。また話す側も、何か前置きがないと話しにくいでしょう。

そんなときにクッション言葉として使えるのが、「お聞き及びのことと」「お耳に入れておきたい」というフレーズです。

「聞き及ぶ」は「前からすでに聞いて知っている」という意味です。**情報が一般的になっていて、すでに相手も知っている可能性が高いときに使います。**たとえば、次のように。

「すでにお聞き及びのことと存じますが、このたび異動で福岡に転勤することになりました。御社の担当を外れるのは本当に残念です」

一方、**「お耳に入れておきたい」は、相手が知らないであろう悪い情報を伝えるときの、前置きに使う言葉**です。

「耳に入れる」は、「知らせる」の丁寧表現で、「お」がつくので敬語表現になります。よって、一般的には、目上の人や得意先などに使います。

「ちょっと知らせておきたいことがあって」を敬語表現にしたフレーズだといえるでしょう。気になっていることや、内々《うちうち》や内密の情報などを「こっそり知らせる」というニュアンスです。

時代劇で、悪徳商人がお代官《だいかん》に密告するときに使うのを聞くせいか、人によっては、いい印象を持たないかもしれません。気になる方は、「部長にお伝えしておきたいことがあるのですが、ちょっとよろしいでしょうか?」などと、平易な言葉を使うほうがいいかもしれません。

コラム3
「すむ」「とく」「あう」……同じ音なのに違う意味？

日本語は、「同音異義語」（同じ発音で違う意味になる言葉）が多いことが、特徴の一つです。とくに、漢字を使った熟語では、その傾向が顕著《けんちょ》です。

これは、古代中国から伝わってきた漢字の発音が、中国語では漢字ごとに違うのに、日本人には同じ音に聞こえてしまい、結果として、同じ発音で読んだことが大きな要因の一つだといわれています。

一方、同音異義語の中には、大和言葉由来の「同訓異字語」もあります。訓読みで同じ読みをするけれど、漢字が違っている言葉のことです。こちらは完全に違う意味と言い切れないものもあります。

大和言葉では、音が重要です。違う漢字で書かれていて、意味がまったく違うように思われても、**音が同じである場合、語源が同じ可能性が高い**からです。

たとえば、「すむ」という音には、次の漢字があてられます。

・澄む……濁りがなくなり、すき通った状態になる
・住む……場所を決めて、常にそこで生活する
・済む……物事がすっかり終わる

漢字で書くと、まったく違う意味に感じますが、実は語源は同じで、「何かしら乱れている状態が落ち着いていき、定着する」というのが「すむ」です。

そこから、浮遊物《ふゆうぶつ》が沈んで水や空気が透明になることを「澄む」、一カ所に落ち着くということを「住む」、動いてきたものが落ち着くということを「済む」、という漢字で表わすようになったといわれています。さらに、「すむ」の「す」は、動物の「巣」という言葉とも同じ語源だと考えられています。

今度は「とく」で考えてみましょう。次の漢字があてられます。

・解く……①縛《しば》ってあるものを、元の離れた状態にする ②心の中のわだかまりを、やわらげ平穏にする ③まだわかっていないことに対して、答えを出す ④任務や制限していたものを解除する

・溶く……固形・粉末状の物質に液体を加えて、均質な液状にする

・説く……物事の道理や筋道を、相手にわかるように説明する

（「得」「徳」「特」などは漢語由来なので、ここには入りません）。

いかがでしょう？　一見まったく違う意味のようです。しかし、よくよく考えれば、いずれの漢字であっても、「もつれているものを解き放つ」というイメージが共通していることがわかるでしょうか？

「あう」は漢字にすると、「合う」「会う」「逢う」「遭う」「遇う」で、厳密にいえば、すべて意味が違います。しかし、「何かと何かが、同じ場所で一緒になる」というイメージは共通で、語源は同じだと考えられます。

「もと」は漢字にすると、「本」「元」「基」「素」「下」で、その意味は違います。

しかし、もともとは、「すべての始まりにあるもの」というイメージで共通していることがわかるでしょう。

「さめる」は漢字にすると、「冷める」「覚める」「醒める」となります。「覚める」「醒める」は似た意味で使われますが、「冷める」はかなり違う意味のように感じます。しかし、こちらも「興奮状態で熱を持っているものが平常に戻る」というイメージは共通です。

同じように、

・「燃える」「萌える」
・「治る」「直る」
・「上る」「登る」「昇る」
・「開ける」「明ける」「空ける」
・「痛む」「傷む」「悼む」
・「離す」「放す」「話す」

などの同訓異字語についても考えてみてください。

同じイメージが浮かんできませんか?

このように、大和言葉は、一つの言葉で幅広い意味を持っています。逆に、漢字は表意《ひょうい》文字なので、意味を厳密に規定します。この二つの文字が組み合わされた日本語の文章は、知れば知るほど奥深いといえるでしょう。

四章

〝ひと言〟加えるだけで思いやりがより伝わる

お言葉に甘えて

——相手の「お言葉」がなかったらどうする？

「相手の親切や好意を受け入れる」という意味で使われる言葉です。

相手が自分を気づかって、何かの言葉をかけてくれたことに対して、遠慮をせずに受け入れたり、また素直に従うことを伝えるために使われます。

「お言葉」は、「言葉」に丁寧表現の「お」をつけたものです。

また、「甘えて」の中にも、「少し厚かましいのは承知ですが、わざわざあなたにおっしゃっていただいたので」というニュアンスが含まれています。

そのことから、「お言葉に甘えて」は、目上の方や上司に対して使っても大丈夫です。ただし、相手の「お言葉」がないと、使うことはできません。

たとえば、あなたが出社したけれど、体調が悪かったとします。

上司から体調を気づかう言葉をかけられました。

①「体調が悪いんだったら、無理せずに早退したら？」
②「体調悪そうだけど大丈夫？」

①には「無理せず早退したら？」という「お言葉」があるので、「お言葉に甘えて早退させていただきます」と返答することができます。

②には具体的な言葉がないので、「お言葉に甘えて」というフレーズは使えません。「調子がかなり悪いので早退させていただいてもいいですか？」（もしくは「大丈夫です」）と答える必要があります。

また、**「お言葉に甘えて」を使う場合、その言葉を素直に受け入れていいのかどうか、相手を見て判断する必要**があります。

とくにビジネスの場では、社交辞令として、「○○をいたしましょうか」と相手が言ってくれることがあります。かけられた言葉が、相手の社交辞令なのかそれとも好意なのかは、会話の流れや相手の表情などから判断するしかありません。

社交辞令なのに、安易に「お言葉に甘えて」ばかりいるのは考えものです。

差し支えなければ

——「問題がなければ」よりも、やわらかい印象に

依頼やお願いをするとき、丁寧な印象を与えるクッション言葉として使えます。「差し支え」は、「何か滞《とどこお》ること」「不都合」「支障」という意味で、「さしつかえ」と読みます。一般的に「差し支えがない」というふうに、否定形で使われることが多い言葉です。

つまり「差し支えなければ」は、相手にとって都合が悪いことがなければお願いしたい（不都合があれば断ってもらってもかまわない）という意味で使います。**とくに住所、電話番号、名前など、相手の個人情報やプライベートにかかわることを聞く際によく使われます。**

丁寧な言葉ですが、それ自体は敬語表現ではないので、目上の人や社外の人などに使う場合は、うしろに続くフレーズを敬体表現にする必要があります。

たとえば、ビジネスで初対面の相手とメールをやり取りしていて、待ち合わせ

することになったときには、次のように。

「差し支えなければ、携帯電話の番号をお教えいただけますでしょうか？」

同じ意味で、「可能であれば」「問題がなければ」という言葉もあります。相手との距離がある場合は、よりやわらかい印象を持つ「差し支えなければ」のほうが好ましいでしょう。また、似た言葉に「差し障り」があります。ほぼ同じ意味ですが、**やや「不都合」が大きいと予想されるときに使われる傾向があります。**

逆に、「差し支えなければ」という言葉でお願いされた場合は、どう答えればいいでしょうか？　いくら依頼されても、「差し支え」があるので断らなければならないときもあります。ただ、相手が丁寧に言ってくれているのですから、こちらも丁寧に返すのがマナーです。「とても心苦しいのですが」「大変申し訳ありませんが」などの言葉をつけてから、断りを入れましょう。

お力添え

——こう頼まれたら力になりたくなる

仕事がらみで、誰かに何かの手助けや依頼をする場面があります。「協力」「支援」などの言葉を使うのが一般的です。

そんなとき、「お力添え」という言葉を使うと、よりやわらかいイメージで相手への思いやりが伝わります。たとえば、次のように。

「厚かましいお願いかと思いますが、お力添えいただけますと幸いです」

「他人に力を貸す」「助ける」ことを意味する「力添え」に、丁寧あるいは尊敬を示す接頭語「お」がついたものです。これによって、**相手の力量に対する尊敬の気持ちを表現できます**。

そのため、そう言われたほうは、「だったら力を貸してあげようか」という気持ちになりやすいでしょう。

また、すでに力を貸してもらったあとや、継続して支援してほしいときにも、次のように使えます。

「プロジェクトが成功したのも、山下さんのお力添えのおかげです」

「木村さんには、引き続きお力添えをいただけますと幸いです」

ただし、「お力添えさせていただきます」のように、助ける側が使うことはできません。その場合は、次のように「尽力」という言葉を使うのが適切です。

「今後とも尽力させていただきます」

「尽力」という言葉を使うと、自分の持っている力のかぎりを出すというニュアンスになります。

お大事に／ご自愛ください

——思いやってくれていることがわかる

どちらも、相手の健康や体を気づかう言葉です。

「お大事に」の「大事」には、「大切」という意味と、「おおごと」「大変なこと」などの意味があります。つまり、「お大事に」は、体調が悪い相手に対して、「体を大切にしてくださいね」と「おおごとにならないように、休息や治療に専念してくださいね」という、両方の意味を伝えるフレーズといえるでしょう。

ただし、相手によって気をつけるべきポイントがあります。

なぜなら「お大事に」は、「ただいま」などと同じように、完結した文ではなく、「お大事にしてください」の省略形だからです。

そのため、**目上の人に対して「お大事に」と言うことは、失礼だと考える人もいます**。その場合、「どうかお大事になさってください」というように、より丁寧に言うといいでしょう。

「大事に至らずよかったです」という言い方もあります。病気になった人や事故に遭遇《そうぐう》した人へ向けて、「深刻な事態にならずよかったですね」という意味で使われる、ねぎらいの言葉です。

一方、「ご自愛《じあい》ください」も、「自分の体を大切にしてくださいね」「健康状態に気をくばってください」の意味になります。

ただし、**「お大事に」と違って、すでに体調を崩している人には使いません。**

また、「自愛」という言葉自体に「自分の体を大切にする」という意味があるので、「お体をご自愛ください」などと書くと、「頭痛が痛い」のように意味が重《ちょう》複《ふく》してしまいます。

「お大事に」は、話し言葉でも書き言葉でも使いますが、「ご自愛」は話し言葉ではあまり使いません。「季節の変わり目ですので、くれぐれも風邪などひかれませんようご自愛くださいませ」のように、手紙やメールの末尾などで、送る相手の体調を気づかう結びの言葉として使うのが一般的です。

どちらにしても、相手が自分の体を気づかってくれると、思いやりを感じます。

お気になさらず

――互いに尊重し合っている心地よさ

相手が何かのミスをして謝ってきたとき、「大丈夫なので気にしないでください」と伝える言葉が「お気になさらず」です。

尊敬語なので、目上の人や仕事でつき合いのある人に使うのが一般的です。

たとえば、相手が約束の時間に遅れそうだと連絡してきたとき、次のように使います。

「大丈夫です。お気になさらず」

加えて、相手を気づかう表現を入れると、さらに思いやりが伝わるでしょう。

たとえば、次のように。

「大丈夫です。お気になさらず。ゆっくりとお気をつけてお越しください」

「お気をつけて」は、「用心して」「注意して」の意味を持つ「気をつけて」を丁寧にした言葉ですが、うしろに丁寧な動詞を組み合わせて、初めて敬語として使えます。

こちらが遅れているのに、このような気づかいをしてもらったら、ちょっとうれしく感じるものです。

そんなときは、次のように返事しましょう。

「お気づかいありがとうございます。10分遅れで着きそうです。ご心配おかけして申し訳ありませんでした」

それにしても日本語には、「気」が入った慣用句が数多くありますね。

お手をわずらわせ

——手がかかったことへ、せめてものねぎらいを

何かを頼んだ相手に、予想以上に時間や手間をさいてもらうことがあります。そんなときに使えるのが、「お手をわずらわせ」という言葉です。

「わずらわせる」は、「不本意ながら相手に面倒をかけてしまった」ことをいいます。「お手」は手の丁寧語なので、相手のことを敬う気持ちがあることから、目上の人にも使えます。

「お手をわずらわせる」は、単なる謝罪だけでなく、相手がやってくれたことに対する、「感謝」や「ねぎらい」を表わすこともできます。そのため、その結果がよかったときにも、よくなかったときにも使えます。たとえば、次のように。

「このたびは、お手をわずらわせて申し訳ありませんでした。そのおかげで、わが社の案が採用されることになり、本当に感謝しています」

「このたびは、お手をわずらわせて申し訳ありませんでした。にもかかわらず、不採用という結果になり、私としても残念でなりません」

また、頼みごとで、手間をかけることが予想されるときにも使えます。

「お手をわずらわせることになり恐縮ですが、お引き受けいただけませんでしょうか？」

予想される手間に、前もって申し訳ないという気持ちを伝えることによって、ただ「お願いします」と言うよりも、思いやりが伝わります。

相手からの支援をやんわり断りたいときには、「お手をわずらわせるには及びません」と使いましょう。

どちらにしても、相手は、自分のために手間や時間をかけてくれたのですから、言葉だけでも相手の気持ちに寄りそい、思いやりを示したいものですね。

身に余る

——謙遜しつつ、ちょっと自慢？

ほめられたり表彰《ひょうしょう》を受けたりしたときに、謙遜しつつ感謝を表わす言葉です。

たとえば、次のように。


「身に余るお言葉に、とても感激しています」

「伝統ある賞をいただき、身に余る光栄でございます」


「身」というのは、体だけでなく、自分の能力や地位のこともいいます。

「余る」は、そこからはみ出している部分のこと。

つまり、自分の能力や地位を超えたものを人から与えてもらったときに、「私にはつり合わない」「分不相応《ぶんふそうおう》だ」という、恐れ多い心境を表わす表現です。

ほめられているのだから素直に喜べばいいのですが、そこをついつい奥ゆかし

く表現してしまうのが、日本人らしいといえるかもしれません。

上級編としては、あえて定型を崩すという方法があります。

たとえば、「身に余る」から始めて、定型文が来ると思いきや、そのときの素直な喜びの感情をストレートに表現するのです。次のように。


「身に余るお言葉……メチャうれしいです！」

「伝統ある賞をいただき、身に余る光栄で……手の震《ふる》えが止まりません！」


うまくいけば、場の空気が和《なご》むはずです（スベっても責任は持てませんが）。

同じように、体の一部を使った表現に、「手に余る」「目に余る」があります。

一見、似ているようですが、意味や使い方はまったく違います。
・「手に余る」……物事が自分の能力以上で、手に負《お》えない
・「目に余る」……程度がひどくて、とても黙って見ていられない
どちらも、あまりいい意味では使われません。

光栄です

――「うれしいです」をグレードアップ

自身の業績や行動をほめられたり、重要な役目や賞をもらったりしたときに使う、感謝や喜びを表現する言葉です。

「栄」の語源は、「かがり火」からきており、光り輝くさまから「さかえる」という意味になりました。「光」は言うまでもなく、「ひかり」を表わす漢字です。

つまり、「光栄です」というのは、「自分が輝いているように名誉を感じています」という表現になります。

ビジネスシーンで、目上の人への喜びや感謝の気持ちを伝えるときに、口頭だけでなく、手紙やメールなどでも重宝します。

次のように、前項の「身に余る」とセットで使われることも多い表現です。

「そのようなおほめの言葉をいただき、身に余る光栄です」

また、尊敬に値する人や、なかなか会うのがむずかしい人などに初めて会えたときにも、次のように使うことができます。

「ようやくお目にかかれて光栄です」

「山田さんと一緒に仕事ができるなんて、本当に光栄です」

「光栄です」だけでも、目上の人に使っても問題はありません。

メールなどの書き言葉で、より丁寧な表現にしたいときには、「光栄に思います」「光栄に存じます」などとするといいでしょう。

逆に、あまり堅苦しくしたくない場合は、「光栄」という言葉は使わず、「お会いできてうれしいです」などとするといいでしょう。

とくに話し言葉の場合は、そのほうが親しみやすさを感じてもらいやすくなります。

あやかる

——ひがみや皮肉に聞こえないように注意

漢字では「肖る」と書きます。

「肖像画」という単語でも使われるように、「似ている」という意味を持った漢字です。「不肖《ふしょう》の息子」という慣用句がありますが、あれは「親に似ず不出来な息子」という意味です。

つまり、「あやかる」とは、何か優れた人や物から好ましい影響を受けて、同じような状態になることをいいます。

ビジネスシーンでは、相手が成功していたり、うまくいっていることに対する称賛の意味で使われます。たとえば、次のように。

「業績好調ですね。うちの会社も、御社にあやからせていただきたいものです」

「成績トップの伊藤さんにあやかって、私も営業日記をつけることにしました」

また、世の中で話題やブームになっているものから、よい影響を受けたいと願うときに使われることもあります。

「台湾ブームにあやかって、うちの店も台湾茶を扱うことにしました」

プライベートでは結婚、出産、受験の合格など、相手のおめでたいことに自分があやかりたいときに使います。

「おめでとうございます。私もぜひあやかりたいです」

ただし、必要以上に自分を卑下《ひげ》すると、ひがみや皮肉に聞こえるおそれがあるので注意しましょう。また、あやかる対象が特別に優れたものでない場合は、「○○にちなんで」を使うほうが適切です。

言葉が足らず

——文句はグッと飲みこみながら

こちらとしてはきちんと伝えたつもりでも、相手に真意が伝わっていないということはよくあります。

とくにメールなどの文章のやり取りでは、それが顕著です。

話し言葉であれば、わからないことがあればその場で質問するなどできますが、文章の場合は、それがむずかしく、一方的な説明になるからです。

そんなときに使えるのが、「言葉が足らず」という表現です。

「言葉が足らず、大変申し訳ありません」

説明不足で真意が伝わっていなかったとき、書き方が曖昧だったことで誤解を与えてしまったときに、謝罪する表現として使われます。このように**謝ってから、**

もう一度くわしく説明し直すというイメージです。

「書き方が下手《へた》ですみません」と謝られるよりも、ずっと思いやりを感じるのではないでしょうか？

実際はきちんと説明していて、言葉が十分に尽くされているにもかかわらず、相手の読解力不足で取り違えていたときにも使えます。

たとえ相手に非があると思っても、「きちんと書いてあるのでよく読んでください」と返信したらどうでしょう？　相手は自分の非を認めるよりも先に、あなたに対しての印象を悪くするでしょう。

内心では「書いてあるからきちんと読んでよ」と思ったとしても、グッと飲みこんで、まずは「言葉が足らず」と謝ります。

そのほうが、人間関係が円滑《えんかつ》に進むでしょう。

「言葉が足らず」といっても、実際の言葉数が問題なわけではありません。言葉が多すぎたことで、逆に伝わらないときもあります。気をつけたいですね。

お含みおき

――直接、催促や抗議をしにくいときに使える

「心に留《と》めておいてほしい」「事情をあらかじめ納得しておいてほしい」などの気持ちを伝える言葉です。

「お含みおきください」や「お含みおきの上、○○してください」というふうに使います。よりかみ砕《くだ》いて言うと、**「言ったことが、必ずすぐに起こるわけではないけれど、今後起きる可能性も十分にあるから、あとから『聞いてなかった』とか言わないでくださいね」**と、クギをさす意味で使われることが多いようです。

たとえば、次のように。

「勝手ながら、すべてご紹介できないこともありますので、何卒《なにとぞ》お含みおきの上、応募いただけますと幸いです」

「なお、ご出席の返事をいただいた方も、25日までに振込みが確認できない場合

は、キャンセルになる可能性もありますので、あらかじめお含みおきください」

「心に留めておく」という意味の「含みおき」に、「お」がついた尊敬表現なので、目上の人や面識のない相手に使っても大丈夫です。

「覚えておいてください」「知っておいてください」という直接的なフレーズよりも、はるかにやわらかいニュアンスの言葉であるにもかかわらず、心に留めてほしいということはしっかりと強調することができます。

そのため、相手を思いやりつつ、催促《さいそく》したり抗議したりすることができる非常に便利な表現です。

似た表現に、「ご了承《りょうしょう》ください」「ご容赦《ようしゃ》ください」「ご理解ください」というフレーズがあります。こちらは、相手に何かしらの不都合な事態が生じる可能性が高いと予想されるときに使われる傾向にあります。

それに比べて「お含みおきください」は、現時点では予測できないというニュアンスが出るので、角が立ちにくいのです。

お手すきの際に

——配慮はいいが、配慮しすぎるのも考えもの

仕事では、**「とくに急ぎというわけではないけれど、時間があるときにきちんとやってほしい」**という頼みごとをすることがあります。

そんなときに使えるフレーズが、「お手すきの際に」です。

「お手すき」とは、「相手の手があいていること」をいう尊敬語です。つまり、「お手すきの際に」は、「仕事が一段落ついて余裕ができたときでかまいませんので」という意味になります。

とくに締め切りを設《もう》けずに何かお願いするときに、相手への配慮の気持ちを示すことができる敬語表現です。たとえば、上司に、急ぎではないけれど書類に目を通しておいてほしいと頼むときに、次のように使います。

「お忙しいところすみません。お手すきの際にこの資料に目を通しておいていた

だけますでしょうか？」

同様の意味を持つ「お時間のあるときに」「ご都合のいいときに」に比べて、少しやわらかい表現になります。

ただし、「お手すきの際に」というのは、あくまで相手の都合を優先する表現です。たとえば、今日中に確認をしてもらわないといけないのに、「お手すきの際に」と伝えたら、相手はそれに気づかず遅れてしまう可能性があります。

そんなときには、きちんと期限がわかるように伝える必要があります。

「お忙しいところすみません。明日のプレゼンの資料、今日中に目を通しておいていただけますでしょうか？」

必要以上に気をつかうと、自分が不利益を被《こうむ》りかねません。本当に余裕があるときにだけ、「お手すきの際に」を使いましょう。

これも何かのご縁ですから

——運命や絆ほど大げさでなくても使える

日本人は、「縁《えん》」という言葉が好きです。
丁寧語の「御」をつけて、「ご縁」という形で使うことも多いです。
「ご縁があって」「縁がなかった」などというふうに、頻繁に使われています。
では、「ご縁」とはなんでしょう？
なかなか定義づけするのはむずかしい言葉ですが……、

「自分の力ではなく、目に見えない何かしらの特別な結びつきによって出会う関係のこと」

といったところでしょうか。
考えれば不思議な概念です。

「運命」「絆《きずな》」というほど大げさなものではない。

でも、自分の力では抗《あらが》えない何かによって、引き寄せられた感じがします。

「袖《そで》振《ふ》り合うも多生《たしょう》の縁」ということわざもあります。

「多生」は「多少」ではなく、仏教用語で「何度も生まれ変わる」（輪廻《りんね》）という意味です。つまり、このことわざの意味は、次のようになります。

「たまたま、道で赤の他人と袖が軽く触れ合うようなささやかな関係であっても、単なる偶然ではなく、前世からの因縁《いんねん》であるから、どんな出会いも大切にしよう」

このような「ご縁」という概念を信じるか信じないかは、人によるでしょう。ただ、**「ご縁」という言葉が好きな人が多いということは、それをうまく活用したほうが、チャンスが増えるということです。**

小才《しょうさい》は縁に逢《あ》って縁に気づかず

中才は縁に逢って縁を活かさず
大才《たいさい》は袖触れ合う他生《たしょう》の縁もこれを活かす

徳川将軍家の剣術指南役《けんじゅつしなん》であり、幕閣《ばっかく》としても活躍した柳生宗矩《やぎゅうむねのり》が家訓として残した言葉だそうです。

才能に乏《とぼ》しい人は、そもそも「縁」に巡りあっても気づかない。中くらいの人は、「縁」に気づいても活かし切れない。才能の豊かな人は、どんなに小さな「縁」でも見逃さず、最大限に活かしていくという意味です。

あなたも、たまたま知り合った誰かと親交を深めるきっかけに、「これも何かのご縁ですから」というフレーズを使ってみてはどうでしょう？

もちろん、実際どうなるかはわかりません。本当に「いいご縁」があったかどうかは、あとになってわかることも多いのです。

この本を買って読んでいただいていることも「何かのご縁ですから」、いつかどこかで巡りあうことを祈っています。

コラム4

かつての隠語が今は日常語？

ふだん何げなく使っているけれど、考えてみたら由来や語源のわからない不思議な言葉があります。その中には、**明治・大正・昭和時代に、新語・隠語・流行語だったものが定着して、令和の世でも使われているもの**も多数あります。

その中から、いくつかをご紹介しましょう。

・サボる……仕事を怠《なま》けたり、授業をズル休みすること。大正時代の若者言葉が始まり。語源は、フランス語の「サボタージュ」(sabotage) で、その冒頭の「サボ」を日本語ふうに動詞化したもの。しかし、本来のサボタージュは、もっと過激なものだった。フランスの労働者が、履《は》いていた木靴「サボ」(sabot) を使って工場の機械を破壊することで、経営者に抗議するための労働争議のことだった。日本語での使われ方とはかなりイメージが違う。

・彼女……女性の三人称だが、「恋人である女性」を指すことも多い言葉。もともと日本語における三人称は、性別に関係なく「彼」が使われていた。明治時代初頭に、英語の「she」の翻訳語として「彼女」と表現されたのが始まり。明治の後期ごろに「恋人である女性」を指す隠語として使われ始めるようになり、大正時代に広まったと考えられている。

・彼氏……「恋人である男性」を指し、「彼女」の対《つい》になる言葉。こちらは「彼女」よりもかなり遅れて昭和の初期ごろに広まったといわれている。当時、弁士《べんし》や漫談家として活躍していた徳川夢声《むせい》の造語という説が有力。当初は男の登場人物を揶揄《やゆ》する表現だったが、やがて「恋人」の意味として使われるようになった。

・音痴《おんち》……音に対して感覚が鈍《にぶ》い人を指す言葉。「痴」には「愚か」「劣っている」という意味があり、「音に対して愚か」という意味になる。もともとは日本語にない概念だった。西洋音楽が入ってきた大正時代ごろに、音程という概念が知られるようになり、そこから作られた造語だといわれている。これが転じ、音以外でもある分野に対する感覚が鈍いことを、「○○音痴」と表現するようになった（方向音痴、運動音痴、機械音痴、味覚《みかく》音痴など）。どの言葉も音とは無関係なのに、「音」の字は残されているのがおもしろいところ。

・マンション……日本語では、「アパート」より大型な（鉄筋コンクリート製の）集合住宅を指す。語源は英語の「mansion」だが、本来の意味としては「豪邸《ごうてい》」を指す言葉で、「集合住宅」を意味する一般名詞として用いられることはまずない。昭和30年代に、デベロッパーが、公団住宅などとは違う高級路線の集合住宅を「マンション」と銘打《めいう》って売り出したことが始まり。その後、違う業者も追随《ついずい》するようになり広まった。ちなみに英語で集合住宅は、どんなに大型であっても「アパートメント」と表現される。「アパート」はその省略形の和製英語。海外でうっかり「マンションに住んでいます」と言うと、大きな誤解を受けるかもしれない。

・アルバイト……本業や学業のかたわら、収入を得るために短時間働くこと。現在は、社員ではない非正規雇用の形態全体を指すことも多い。バイトと略されることも。もともとは労働・仕事・研究などを意味するドイツ語の「arbeit」が由来。明治時代、当時のエリートだった旧制高等学校の学生たちが、「家庭教師」などをするときに使った隠語が、始まりだといわれている。戦後、一般に広まった。英語では「パートタイムジョブ」といい、そこからフルタイムではなく部分的な時間で働く主婦のことを、日本語で「パートタイム」と呼ぶようになった。それが略されて「パート」という言い方が定着。法律的には「バイト」も「パート」も同じ。

ほかにも「ジリ貧《ひん》」「がめつい」「口コミ」「ミーハー」「ワンマン」など、それぞれの時代に新語・隠語・流行語だったものが、今では日常用語として使われるものが数多くあります。

付章

話し言葉でこそ「ことわざ・故事成語」が役に立つ

意味が広く知られている「ことわざ」や「故事成語」がありますす。相手の状況やこちらの立場に応じて、激励、忠告、決意表明などに上手に使えば、思いがシンプルに伝わり、信頼度もアップするでしょう。

◇今を大事にしていることを伝える

一期一会

「座右《ざゆう》の銘」としても、人気のある四文字熟語です。「一期《いちご》」は仏教用語で「一生」を表わす言葉。つまり、「一生に一度だけ」「生涯で一度かぎり」という意味です。そこから、**「すべての出会いを一生に一度だと思って大切にする」**というニュアンスで使われます。

もともとは茶道の言葉です。千利休《せんのりきゅう》の言葉として、弟子の山上宗二《やまのうえそうじ》が残した「この茶会を一期に一度の会だと思って、主客《しゅかく》ともども誠心誠意を尽くしなさい」という文章が由来です。さらに、江戸時代末期、大老・井伊《いい》直弼《なおすけ》が、茶道の一番の心得として「一期一会《いちえ》」と表現したことで、世の中に広まりました。

使い方の例

「どんな仕事も、一期一会だと思って接していきたい」
「一期一会の精神が私のモットーです」

◇「特別感」を伝える

千載一遇

「千載《せんざい》」は「千年」、「一遇《いちぐう》」は「一度の出会い」のこと。

つまり、「千年に一度しかないような、非常に稀な出会いや機会」という原意から、「滅多にこないチャンス」という意味で使われます。

中国・東晋《とうしん》時代の『三国名臣序賛《さんごくめいしんじょさん》』（『三国志』に登場する賢臣《けんしん》二十人を讃《たた》える書物）が出典です。名君と賢臣との出会いは非常に珍しいということが、「千載の一遇は賢智《けんち》の嘉会《かかい》なり」と表現されています。

本来の意味からすると、**普通であったら一生巡りあわないような人と出会うときに使うべき言葉ですが、現在ではビジネスや恋愛などの出会いでも使います。**

使い方の例

「このプレゼンは千載一遇のチャンスだから、全力で勝ちにいこう」
「それは千載一遇の機会を逃してしまいましたね」

◇「励ましたい気持ち」を伝える

明けない夜はない

どんな暗い夜でも、朝になると日が出て明るくなるように、**「人生において、ずっと悪い状態は続かず、いつかは好転する」**という意味で使われます。

シェークスピアの四大悲劇の一つ、『マクベス』が由来だといわれています。マクベスに父を殺されたマルカムが、復讐《ふくしゅう》の決意を語る場面で、「The night is long that never finds the day」というフレーズが出てきます。

直訳すると「明けない夜は長い」となり、マクベスに復讐を果たさないと夜は明けない、という意味合いで使われています。これを、シェークスピアの翻訳家として有名な小田島雄志《おだしまゆうし》さんが、「どんな長い夜でもいつかはきっと明けるのだ」と訳しました。

当たり前の事実を言っているだけですが、不思議と励まされる言葉です。

使い方の例

「今は大変な状況ですが、明けない夜はないので頑張っていきましょう」

◇聞くと力みが抜ける

明日は明日の風が吹く

今、どんな風が吹いているかで気をやんでも、明日になれば異なる風が吹くのだから、先のことをくよくよ心配しても仕方ないという意味の慣用句です。**人生なるようにしかならない**という意味で使えます。

出典は、歌舞伎の脚本とも講談ともいわれていますが、はっきりしません。ただ、世に広まったのは、日本でも大ヒットした『風と共に去りぬ』という映画がきっかけでした。ラストシーンで、失意の中、ヒロインのスカーレット・オハラが自らを励ますセリフ「After all, tomorrow is another day」が、「明日は明日の風が吹く」と訳されました。

直訳すると「結局、明日は別の日なんだから」ですが、タイトルに「風」があることからの連想で、そう訳したのでしょう。当時は名訳といわれました。

使い方の例

「くよくよしても仕方ない。明日は明日の風が吹くさ」

◇「あきらめるな」の気持ちが伝わる

禍福は糾える縄の如し

「禍福《かふく》」とは、「不運と幸運」「不幸と幸福」という意味です。「糾《あざな》える」とは、ひもなどをより合わせること。「如《ごと》し」は、「○○のようだ」の意味。

つまり、**「悪いこととよいことは、ひもでより合わせて作られる縄《なわ》のように、代わる代わるやってくる」**ということのたとえです。不幸なときに前向きになれる言葉としても、物事がうまくいっているときの戒《いまし》めの言葉としても使えます。

由来は、『史記《しき》 南越列伝《なんえつれつでん》』にある「禍《わざわい》に因《よ》りて福を為《な》す。成敗《せいはい》の転ずるは、たとえば糾える纆《なわ》の如し」や、『漢書《かんじょ》 賈誼伝《かぎでん》』にある「それ禍と福とは、何ぞ糾える纆に異ならん」だといわれています。

使い方の例

「（不運があった友人に）禍福は糾える縄の如しというから、きっとこれからいいことがあるよ」

◇不運に見舞われたような人に向けて

人間万事塞翁が馬

不運と思ったことが幸運になったり、逆のことが起こったりと、人生が予測できないさまを表現する中国・前漢時代の『淮南子《えなんじ》』が出典の故事成語です。

「塞翁《さいおう》」とは北辺の塞に住んでいる翁（老人）のこと。あるとき、馬に逃げられて同情された老人は、「これは福になるかもしれない」と言います。すると逃げた馬が駿馬《しゅんめ》（足の速い馬）を連れて戻ってきました。今度は祝福された老人は、「これは禍になるかもしれない」と言います。すると老人の息子がその馬から落ちて骨折。同情する人たちに老人は、「これは福になるかもしれない」と言います。１年後、戦争のため若い男は徴兵《ちょうへい》されましたが、息子はケガのために兵役《へいえき》を免れたのです。ちなみに、人間を「じんかん」と読むのは、中国語の「人間」は、「人」という意味ではなく「人のいる空間＝世間・世の中」を表わすからです。

使い方の例

（不運が幸運になった友人に）まさに「人間万事塞翁が馬」でよかったですね。

◇「原因を知って改善すればいい」という励ましとして

失敗は成功のもと

仕事・学業・研究などのさまざまな分野において、**「失敗を糧《かて》にしてその原因を追究し、改善していくことが成功につながる」**という意味です。

「もと」は漢字では「基」と書き、「物事の一番下でささえているもの」という意味があります。「失敗は成功の母」ともいいます。

由来ははっきりしませんが、英語の「Failure teaches success」という格言から来たのではないかといわれています。直訳すると「失敗は成功を教える」という意味ですが、明治時代は、「失敗は成功の良師《りょうし》なり」「失敗せざる人は富むことを得ず」などと訳されました。発明王のエジソンも、「失敗なんかじゃない。うまくいかなかった方法が一つわかったから成功なんだ」という言葉を残しています。

使い方の例

「失敗は成功のもと。失敗を恐れず、どんどんチャレンジしていこうよ」

◇「きっとよくなる」というメッセージを伝える

雨降って地固まる

いざこざやもめごとのあとは、かえって結束力が高まって事態がよくなる、ということを表わすことわざです。

雨が降ると、土は濡れてやわらかくなるけれど、雨が止《や》み日光で乾かされると、前より固くなることから生まれた表現です。「雨」は「ケンカ・言い争い・不仲・災難」などの悪い状態の比喩《ひゆ》で、「地」は人間関係の比喩といえるでしょう。

江戸時代にはすでに使われていた記録があることから、古くから使われてきた慣用句だと考えられています。英語にも似た意味で、次のことわざがあります。

After rain comes fair weather（雨のあとにはよい天気が来る）

No rain, No rainbow（雨が降らないと虹は出ない＝ハワイのことわざ）

使い方の例

「いろいろ行き違いはあったけど、雨降って地固まるということで、団結してこのプロジェクトを成功させましょう」

◇「とくによかった箇所」を伝えたいときに

圧巻

「全体の中で最も優れた部分」のことを指す故事成語です。

「科挙《かきょ》」と呼ばれる、中国の官吏《かんり》登用試験が由来です。

「巻」とは、その試験での答案用紙のこと。答案をしたあと、一番成績のよかった「巻」を、ほかを「圧」するように一番上に置いたことから、「圧巻《あっかん》」という言葉が生まれました。

書物・映画・舞台・楽曲などの中で、最も優れている部分。また、勢ぞろいしたものの中で最も優れているものを指します。

「全体の中で」「比べるものの中で」一番という意味なので、**比べる対象がなく、「圧巻の景色」「圧巻の出来」と表現することは、正確には誤用です。**

使い方の例

「全体的におもしろかったけど、とくにラストシーンは圧巻でしたね」

◇「秀でていた」といい評価を伝えたいときに

白眉《はくび》

「全体の中で最も優れた人や物」のことを指す故事成語です。**「圧巻」が場面・部分を指すのに比べて、「白眉」は人や物を指します。**

由来は、中国の『三国志』の中の「蜀志《しょくし》 馬良伝《ばりょうでん》」にあるエピソードです。蜀に住んでいた馬氏には兄弟が5人いて、全員に秀でた才能がありました。中でも、四男の馬良という人物が、最も優れていたといわれています。その馬良の眉《まゆ》に、白い毛が混じっていたことから、兄弟で一番優れた者のことを「白眉」というようになりました。そこから転じて、同類の中で最もよいという意味で、「白眉」が使われるようになります。

白眉は、同類のものが数ある前提で使われる言葉です。**似たものと比較する場面で使います。**

使い方の例

「今回の応募作品の中では、彼女の作品が白眉だね」

◇「すぐやる」決意を伝える

思い立ったが吉日

「物事を始めようと思ったら、すぐに実行に移すのがいい」という意味のことわざです。「吉日《きちじつ》」とは、暦《こよみ》の上の「大安《たいあん》」などの、縁起のいい日のこと。このことわざでは、どんな日でも思い立った日が、縁起のいい日になるという意味で使われています。

能の「唐船《とうせん》」という謡曲《ようきょく》の中に、「思い立つ日を吉日と、船のとも綱《づな》ときはじめ」という一節があり、そこからことわざとして使われるようになったのではないかといわれています。

たしかに、そのときはやる気になっても、**翌日になるとやる気が大幅にダウンしていることがあるでしょう。明日から始めようと思わずに、すぐにやり始めることで自然と運も巡ってきそう**です。理にかなったことわざだといえるでしょう。

使い方の例

「思い立ったが吉日なので、今日からダイエットを始めることにしました」

◇素早い行動をうながしたいときに

鉄は熱いうちに打て

このことわざには、二つの意味があります。

① 物事をなすときは、相手に熱意があるうちに実行に移すのが大切

② 人間は若くて柔軟性があるときにこそ、心身を鍛《きた》えるべきである

英語のことわざ、「Strike while the iron is hot」を訳したものが由来です（ただし、②の意味は日本独自のものです）。

鉄は常温では硬く、簡単には曲がりません。しかし、約1500℃の高温で熱するとやわらかくなり、打つことで形を変え加工できます。ただ、その機会を逃すとすぐに冷めてしまい、もう加工できなくなります。つまり、チャンスを逃すなということ。実際に、**ビジネスにおいても恋愛などの人間関係においても、お互いに熱があるときに事をなさないと、うまくいかない**ことはありますよね。

使い方の例

「それはすぐに商談に行ったほうがいい。鉄は熱いうちに打てと言うだろ」

◇手遅れにならないように警告するときに

チャンスの神様は前髪しかない

「チャンスは、こちらに向かってくるときに捕《つか》まえないといけない。通りすぎてから捕まえようと思っても、もう手遅れだ」という意味のことわざです。

ギリシャ神話の「一瞬の時」（チャンス）を象徴《しょうちょう》する神「カイロス」は、頭に前髪だけが生えていて、うしろに髪がなかったことが由来だといわれています。

チャンスの神様は、「幸運の女神」と言われることもありますが、これはかのレオナルド・ダ・ヴィンチが、カイロスとローマ神話の女神「フォルトゥーナ」（普通に毛髪がある）を、混同して語ったことが発端《ほったん》だともいわれています。

どちらにしても、なるほどと実感することわざです。

とはいえ、**目の前の出来事が、本当にチャンスなのかを判断するのはむずかしい。ある程度のリスクを負って、前髪をつかみにいくことも必要でしょう。**

使い方の例

「そんな絶好の機会を逃したらダメ。チャンスの神様は前髪しかないんだから」

◇いま、我慢を強いられている人に

待てば海路の日和あり

「今は悪天候で海が荒れていても、待っていれば天候は回復して航海ができるようになる」というのが元来の意味です。転じて、**「今は逆境でうまくいかない時期であっても、じっと我慢して待っていれば必ずチャンスが訪れる」**というときに使うことわざです。

もともとは、「待てば甘露《かんろ》の日和あり」という形で、いろはがるたなどに載っていたことわざでした。「甘露」とは、中国の伝説で、王が善政《ぜんせい》を行なっていれば天から降ってくる、甘《あま》い露《つゆ》のことを指します。

いつ「甘露」から「海路《かいろ》」に変わったかは不明ですが、「海路」のほうがイメージしやすいので、そちらが一般的に使われるようになったのでしょう。

使い方の例

「待てば海路の日和ありだ。ここはじっと我慢して次のチャンスをうかがおう」

◇地道に頑張る人への激励の言葉として

千里の道も一歩から

「たとえ千里もある遠い道のりでも、まず始めの第一歩を踏み出すことから始まる」という意味のことわざです。転じて、「どんな大事業であっても、まずはスタートしなければ始まらない」という意味で使われます。

もともとは、古代中国の思想書『老子《ろうし》』にある、「千里の行《こう》も足下《そっか》に始まる」という言葉が由来です。

日本でよりわかりやすい表現になり、ことわざとして広まったと考えられます。

ちなみに、一里の距離は、日本では約４キロですが、古代中国では約４００メートルだったということです。

人によって「千里」は違いますが、**誰かを激励するときにも使える表現**です。

使い方の例

「千里の道も一歩から。今から始めれば試験に合格できるから頑張れ」

◇「気を抜くな」のアドバイスとともに

百里を行く者は九十を半ばとす

物事は終わりが肝心です。たとえば、勝ち負けを争うスポーツの試合で、途中までどんなにいい結果を残していても、最後に逆転されてしまえば、元も子もありません。映画や小説などの作品も、それまでどんなにいい場面があっても、ラストシーンがダメなら台無しになってしまいます。

この故事成語は、**「何事も終盤に困難が多いので、9割まで成し遂げたことを、まだ全体の半分だと思って、最後まで気を抜かずに努力することが大切である」**ということを説いたものです。

出典は、『戦国策《せんごくさく》―秦策《しんさく》・武王《ぶおう》』。隣国を打ち破って得意になっている王に向かって、ある人が、「詩に云《い》わく、百里を行く者は九十を半《なか》ばとす。此《こ》れ末路《まつろ》の難《かた》きを言う」と戒めたことに由来します。

使い方の例

「ここで油断したら今までの努力が水の泡。百里を行く者は九十を半ばとすだ」

◇「あせらずに一歩一歩」の励ましを伝える

ローマは一日にして成らず

西欧諸国で古くからことわざとしてあった成句の、日本語訳です。

英語では、「Rome wasn't built in a day」といい、文章の意味は、そのままでは「ローマは一日で建てられたわけではない」になります。

この場合、都市としてのローマを指すのではなく、古代ローマ帝国のことを指しています。実際、古代ローマ帝国は、何百年もの歳月をかけて構築されてきました。

そのことから、**「大きな目標や大事業は、長い間の努力や積み重ねなしには完成されない」**という意味を持つようになりました。

12世紀のイギリスや中世のフランスでも、すでに使われており、以前に唱《とな》えられた、小説『ドン・キホーテ』が出典だという説は間違っていたようです。

使い方の例

「ローマは一日にして成らずという。この新規事業もじっくり取り組もう」

◇「やることはすべてやった」の心境を伝える

人事を尽くして天命を待つ

「人事《じんじ》」とは、「人間の力でできること」を指します。よって、「人事を尽くす」は、「自分の力でやれることを、すべてやり尽くす」という意味になります。

「天命《てんめい》」とは、「天から与えられた運命や使命」。つまり、ことわざ全体では、「人としてできるかぎりのことをやり尽くしたら、あとは静かに天の意思にまかせるしかない」という意味になります。中国・南宋《なんそう》時代の儒学者、胡寅《こいん》が著した『読史管見《とくしかんけん》』という書物が出典で、名臣《めいしん》の謝安《しゃあん》が、淝水《ひすい》の戦いに勝ったときの心境を、「人事を尽くして天命に聴《まか》す」と表現しています。

たしかに、**どんなに努力したとしても、最終的には、自分の力の及ばないところで結果が決まる場合、このような心境になる**ものです。

一方、たいした努力もしていないのに、この言葉を多用するのは考えものです。

使い方の例

やれることはすべてやったので、あとは「人事を尽くして天命を待つ」しかない。

◇「気を抜かずに取り組み続けよ」のメッセージを伝える

初心忘るべからず

室町時代に能楽《のうがく》を大成した世阿弥《ぜあみ》の言葉です。「その仕事を始めたときの、志や謙虚な気持ちを忘れずに持ち続けないといけない」という意味で使われています。しかし、世阿弥が説いた本来の意味は少し違います。世阿弥の言う「初心」とは、「初心者＝未熟な状態の者」という意味です。**「本当の初心のころの、未熟な状態を忘れてはダメなのは当然として、それぞれの年代においても初心はあり、老年になっても初心はあり、それを忘れてはいけない。**道を究《きわ》めたなどと思わず、いつまでも未熟だと自覚して、精進を続けなさい」と説いているのです。

たしかにどんな仕事であっても、始めた当初は緊張して丁寧に取り組むものです。しかし、時間の経過とともに馴《な》れが生まれ、知らず知らずのうちに手を抜いてしまうこともあります。常に自分にも言い聞かせたいフレーズですよね。

使い方の例

慣れてきた今だからこそ、「初心忘るべからず」で作業に取り組んでください。

◇途中、いろいろあった人に
終わりよければすべてよし

物事で一番重要なのは「結末」であり、過程が多少まずくても大きな問題にならないという意味です。英語のことわざ、「All's well that ends well」の訳です。シェークスピアの戯曲《ぎきょく》のタイトルになっていますが、より以前から使われていたようで、直訳すると、「よく終わったものは、すべてにおいてよかったことになる」という意味になります。

「ピークエンドの法則」と呼ばれる心理学の法則があります。出来事は、最も感情が動いたとき（ピーク）と、出来事の終わり（エンド）の記憶だけで、全体的な印象が決定されるという法則です。たしかに、**途中、いろいろな問題があったとしても、ピークとエンドがよければ、全体の印象はよいものになります。**だからといって、途中で手を抜いてはいけないことは、言うまでもありません。

使い方の例

「終わりよければすべてよし」になるよう最後まで気を抜かずやりとげましょう。

おわりに　奥深くて美しくて……本当におもしろい日本語

「言葉に興味があったから、コピーライターになったのか？」

「コピーライターだから、言葉に興味を持つようになったのか？」

どちらも正解です。

幼いころから言葉に興味があり、紆余曲折《うよきょくせつ》をへてコピーライターになりました。

コピーライターになったことで、より日本語に興味を持つようになりました。

現在は、日本語の成り立ちや語源などを改めて研究しています。

日本語は、奥深くて美しくて、本当におもしろい。


私は、これまでおもにマーケティング分野でのビジネス書を中心に、執筆活動をしてきました。

ふだんから何げなく使っている日本語に焦点をあてた本は、これが初めてです。

今後も、日本語の奥深さや美しさを、わかりやすく楽しく世の中に伝えていくことも、使命にしていきたいと考えています。

本書は、いろいろな偶然が重なって誕生しました。最初に「ご縁」を繋《つな》いでいただいた作家の西沢泰生《やすお》さん（『夜、眠る前に読むと心が「ほっ」とする50の物語』などの著作でおなじみ）には、感謝しかありません。

最後まで読んでいただき、本当にありがとうございました。これをきっかけに、あなたとも何かの「ご縁」が生まれることを祈っています。

またどこかでお会いしましょう。

川上　徹也

本書は、本文庫のために書き下ろされたものです。

使《つか》えば使《つか》うほど好《す》かれる言葉《ことば》

著者　川上徹也（かわかみ・てつや）
発行者　押鐘太陽
発行所　株式会社三笠書房
〒102-0072 東京都千代田区飯田橋3-3-1
電話　03-5226-5734（営業部）03-5226-5731（編集部）
https://www.mikasashobo.co.jp
印刷　誠宏印刷
製本　ナショナル製本

 ISBN978-4-8379-6967-9 C0130